国學基本教材

诗词格律

李　凯◎编注

浙江古籍出版社

“国学基本教材”编辑委员会

总　序

秋霞圃书院创办有年，在民间推动国学普及工作，志在以独立之精神、自由之思想为宗旨，促进古今中外文化思想与学术的交流，为中华民族文化的复兴而尽心尽力。其志可嘉，其行可感！

近年，秋霞圃书院耐儒兄主持编撰“国学基本教材”。本套国学教材集复旦大学、武汉大学、南开大学、中山大学、华东师范大学、上海师范大学等名牌院校的二十多名青年学人，采各种版本的国学读本之长，广泛吸取中小学一线语文教师的教学经验，精心编撰，是中小学生比较理想的国学读本，也是便于教师们使用的、较为系统的国学教材。

读本的篇目有：《弟子规》、《三字经》、《千字文》、《千家诗选读》、《幼学琼林》、《诗词格律》、《唐诗选读》、《宋词选读》、《论语》（上、下）、《史记选读》（上、下）、《大学　中庸》、《诗经选读》、《孟子》（上、下）、《左传选读》、《颜氏家训》、《诸子文选》（上、下）、《汉魏六朝文选》、《唐宋文选》、《礼记选读》、《楚辞选读》。每册有指导性概述，有经典原文，有对原文的注释与新译（赏析），并配上文史链接（延伸阅读）、思考讨论等，图文并茂，准确生动，具有可读性与系统性。

梁启超先生说过，《论语》、《孟子》等经典“是两千年国人思想的总源泉，支配着中国人的内外生活，其中有益身心的圣哲格言，一部分久已在我们全社会形成共同意识，我们既做这社会的一分子，总要彻底了解它，才不致和共同意识生隔阂”。这就是说，“四

书”等经典表达了以“仁爱”为中心的“仁义礼智信”等中华民族的核心价值观念，这是中国古代老百姓的日用常行之道，人们就是按此信念而生活的。

中国文化的大传统与小传统是打通了的。国学具有平民化与草根性的特点。中国民间流传着的谚语是：“勿以善小而不为，勿以恶小而为之”；“老吾老以及人之老，幼吾幼以及人之幼”；“积善之家必有余庆，积不善之家必有余殃”。这些来自中国经典的精神，透过《弟子规》、《三字经》、《百家姓》、《千字文》、《千家诗》等蒙学读物及家训、族规、乡约、谱牒、善书，通过大众口耳相传的韵语故事、俚曲戏文、常言俗话，成为“百姓日用而不知”的言行规范。

南宋以后在我国与东亚的民间社会流传甚广、深入人心的朱熹《家训》说：“事师长贵乎礼也，交朋友贵乎信也。见老者，敬之；见幼者，爱之。有德者，年虽下于我，我必尊之；不肖者，年虽高于我，我必远之。”“人有小过，含容而忍之；人有大过，以理而谕之。勿以善小而不为，勿以恶小而为之。”又说，“勿损人而利己，勿妒贤而嫉能。勿称忿而报横逆，勿非礼而害物命。见不义之财勿取，遇合理之事则从……子孙不可不教，童仆不可不恤。斯文不可不敬，患难不可不扶。”朱子说此乃日用常行之道，人不可一日无也。应当说，这些内容来源于诗书礼乐之教、孔孟之道，又十分贴近大众。它内蕴着个人与社会的道德，长期以来成为老百姓的生活哲学。

王应麟的《三字经》开宗明义：“人之初，性本善。性相近，习相远。苟不教，性乃迁。教之道，贵以专。”这就把孔子、孟子、荀子关于人性的看法以简化的方式表达了出来。儒家强调性善，又强调人性的养育与训练。

清代李毓秀《弟子规》的总序说："弟子规，圣人训。首孝弟，次谨信。泛爱众，而亲仁，有余力，则学文。"以下分成"入则孝"、"出则悌"、"谨而信"、"泛爱众而亲仁"等几部分。这些纲目都来自《论语》。《弟子规》中对孩童举止方面的一些要求，如站立时昂首挺胸、双腿站直，见到长辈主动行礼问好，开门关门轻手轻脚，不用力甩门等，这些规范都是文明人起码应有的，是尊重他人而又自尊的体现。又如："晨必盥，兼漱口，便溺回，辄净手。冠必正，纽必结，袜与履，俱紧切。""斗闹场，绝勿近，邪僻事，绝勿问。将入门，问孰存，将上堂，声必扬。""用人物，须明求，倘不问，即为偷。借人物，及时还，后有急，借不难。"这都是有助于文明社会的建构的，是文明人的生活习惯，也是今天社会公德的基础。

朱柏庐在《朱子治家格言》起首的一段说："黎明即起，洒扫庭除，要内外整洁；既昏便息，关锁门户，必亲自检点。一粥一饭，当思来处不易；半丝半缕，恒念物力维艰。"这些都是平实不过的道理，体现到一个人身上就是他的家教。旧时骂人，说某某没有家教，那是很重的话，让其全家蒙羞。我们不是要让青少年一定要做多少家务，而是要他们从小学就动手打理好自己与家庭的事情，不要过分依赖父母，依赖他人，能够自己挺立起来，培养责任意识。同时，知道一粥一饭、半丝半缕都是辛劳所得，我们能够懂得去尊重家长与别人的劳动。如果我们真的有敬畏之心，就知道珍惜，不应该浪费。

南开中学的前身天津私立中学堂成立于1904年10月，老校长严范孙亲笔写下"容止格言"："面必净，发必理，衣必整，纽必结。头容正，肩容平，胸容宽，背容直。气象：勿傲，勿暴，勿怠。颜色：宜和，宜静，宜庄。"这四十字箴言来自蒙学，又是该校对学生容貌、行止的基本要求。校内设整容镜，师生进校时都要照镜正容色。

后来张伯苓先生治校，坚持了这些做法。

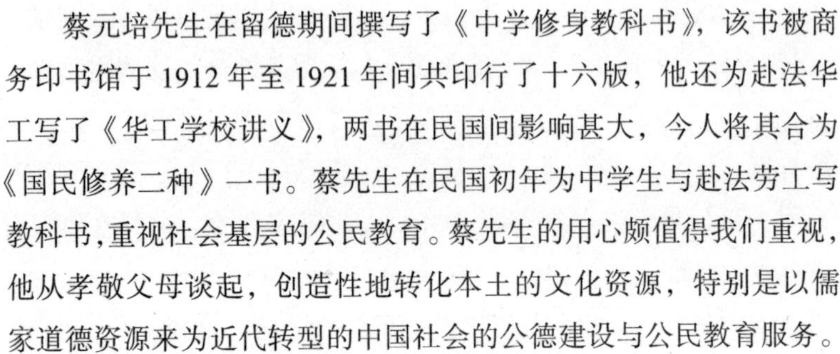

蔡元培先生在留德期间撰写了《中学修身教科书》，该书被商务印书馆于 1912 年至 1921 年间共印行了十六版，他还为赴法华工写了《华工学校讲义》，两书在民国间影响甚大，今人将其合为《国民修养二种》一书。蔡先生在民国初年为中学生与赴法劳工写教科书，重视社会基层的公民教育。蔡先生的用心颇值得我们重视，他从孝敬父母谈起，创造性地转化本土的文化资源，特别是以儒家道德资源来为近代转型的中国社会的公德建设与公民教育服务。

现今南京夫子庙小学的校训是“亲仁、尚礼、志学、善艺”。我认为这是非常好的。对孩童、少年的教育，首先是培养健康的心性才情，从日常生活习惯，从待人接物开始，学会自重与尊重别人。

我们今天强调成人教育，因为仅有成才教育是不够的，成才教育忽略了我们作为完整的人、健康的人所必需的一些素养，它在人格养成方面几乎是空白。这不是大学教育才有的问题，而是幼儿园、中小学教育就该关注的。养育青少年的性情，需要家庭、学校、社会的配合。

国学当中有很多修身成德、培养君子人格的内容。中国古典的教育，其实就是博雅教育。传统的教育并不是道德说教，也不是填鸭式满堂灌的教育，而是春风化雨似的，让学生在点滴中有所收获并自己体验，如诗教、礼教、乐教等。

我觉得应该让孩子们处在良好的文化氛围中。家长、老师们要以身作则、言传身教，这对孩子们影响很大。家长、老师有义务端正自己的言行，尤其在孩子们面前。要培养孩子分辨是非的能力，多在性情教育上下工夫，关注孩子的心理健康，多与孩子交流，洞察他们的情感，并作正确的引导。现在一些家长做不到以身作则，他们撒谎骗人，打骂斗狠，不尊重老人，这些都会给孩子的成长烙下负面的印记。

我们也希望同学们能趁着年轻记性好，多读些经典，最好能背诵一些，其中的意思以后可以慢慢领悟。南宋思想家陈亮说过：“童子以记诵为能，少壮以学识为本，老成以德业为重……故君子之道不以其所已能者为足，而尝以其未能者为歉，一日课一日之功，月异而岁不同，孜孜矻矻，死而后已。”

本丛书所收经典与蒙学读物中有很多圣哲格言，都足以让我们受用终身。我们一直希望能有多一些的国学经典进入中小学课堂，至少让“四书”进入教材。我们希望能多一些国文课，让中小学生能接受到系统的传统语言与文化教育。中华民族有很多优根性，更需大大弘扬。

是为序。

郭齐勇

癸巳春于珞珈山

目录

概　述

作为中国传统文化中最美最深邃的那部分，诗词无疑是中华民族数千年灿烂文明中的精髓。当浮躁的现代人心越来越多地转向那片宁静悠远的精神家园时，古典诗词在校园里、课堂上、下一代的心中，又是以何种面貌、何等角色出现的呢？

读诗吟词，本应该是一种很快乐的精神享受，它可以让我们充分发挥自己的个性及想象力、创造力，不应该成为一种任务，甚至是负担。诗的意境或空旷凄凉，或散逸潇洒，或空灵飞动，或幽静清愁，往往美不可言。如果无视这些美感，就是丢掉了诗之所以为诗的根本，也失去了诗教的本意。

因此，从低年级的小朋友开始，我们就要注重培养其审美心境。这其中，当然包括重要的格律之美。

闻一多先生在《诗的格律》中，提出他著名的“三美”理论，认为“诗的实力不独包括音乐的美（音节）、绘画的美（词藻），并且还有建筑的美（节的匀称和句的均齐）”。他认为诗歌的音乐美是首要的，声称“诗的所以能激发情感，完全在它的节奏；节奏便是格律……越有魄力的作家，越是要戴着脚镣跳舞才跳得痛快，跳得好。只有不会跳舞的才怪脚镣碍事，只有不会做诗的才感觉得到格律的缚束。对于不会作诗的，格律是表现的障碍物；对于一个作家，格律便成了表现的利器……因为世上只有节奏比较简单的散文，决不能有没有节奏的诗。本来诗一向就没有脱离过格律或节奏”。

他还指出，“格律可从两方面讲……属于视觉方面的格律有节的匀称，有句的均齐。属于听觉方面的有格式，有音尺，有平仄，有韵脚”。而平仄、韵脚等内容，都是诗词格律的重要组成部分。

格律诗词的产生与发展，和吟咏、音乐有密切关系。虽然今天在我们的现实生活中，诗词已经不再配乐演唱，但格律诗词大都有严格的用韵要求，读起来朗朗上口，跌宕生姿，平仄交错，具有很强的音乐美。只有诵读出来，才能直观体验到这种音乐美。所谓“三分诗靠七分吟”，说的就是这个道理。

比如李白的那首《静夜思》:“床前明月光，疑是地上霜。举头望明月，低头思故乡。”如果用通俗的白话翻译，就变成了“看到床前地上的月光，以为是霜花呢。抬起头来看月亮，低下头去思念故乡”。意思没错，但意境荡然无存，变得索然无味。所以，我们需要感受到其中的格律和音韵之美，才能读出语感，读出韵味，读出节奏，读出意境。

然而，想要领略到诗词的美，我们必须有一定的知识作为基础。在中国传统教育中，蒙童会接受很多吟诗作对方面的训练，今天的孩子由于缺乏相关知识的积淀和环境的熏陶，并不足以感受到诗词的格律之美。很多小朋友虽然出口成诵，但对诗词格律的知识却一无所知。这并不奇怪，因为他们缺乏相关知识的教育。可是，小朋友们从小学习了那么多格律诗、词，却不懂它的基本句法和规则，只能知其然而不知其所以然。这样既不利于孩子们感受到诗词的美感，也不利于他们深入掌握诗词的内涵意蕴。为此，我们试图以大家耳熟能详的经典诗词为分析对象，通过对诗词文本的赏析，讲述相关的声律、音韵知识，为小朋友进行声律启蒙。

由于“格律诗”主要包括绝句（五言四句、七言四句）、律诗（五言八句、七言八句）、排律（十句以上）三种，且以前两种最为常见，因此从第一章到第四章，我们先五言后七言，从易到难，由简入繁，重点讲述绝句和律诗的格律。

基本上，格律诗是以律诗的格律为基准的。绝句的句式是在律诗的基础上截取而成，排律的句式是以律诗为基础叠加而成。但因为绝句字数较少，看起来相对简单，因此我们采用了先绝句后律诗的顺序。

五绝、七绝、五律、七律，它们各自都有四种句式。在讲解每一种句式时，我们都会选取一首小朋友比较熟悉的、格律工整的作品为代表。有些诗歌，比如骆宾王的《鹅》，虽然小朋友们都很熟悉，但它并不是格律诗的典范，所以并不在我们的考虑之列。有些诗，比如李端的《听筝》，虽然大家不是特别熟悉，但它的格律非常工整，因此我们会将其作为所用格式的代表。

这些作品由于年代久远，往往会有不同的版本。唐诗部分，我们以中华书局 1980 年版的《全唐诗》中收录的版本为准；宋诗部分，我们以上海辞书出版社 1987 年版的《宋诗鉴赏辞典》为依据；词作部分，我们以中国社会科学院 1982 年版的《唐宋词选》为依据，确保所选作品的权威性。

对于这些格律诗词，我们首先会对其详加注释，然后在此基础上进行“声律点津”，引出平仄、押韵等相关知识。考虑到小朋友的接受能力，我们尽量用深入浅出的语句讲解，而且对于一些常识性的知识，也会不厌其烦地反复提起，以便让小朋友加深印象。有些知识，比如音韵、入声字的系统辨别等，对于小学生来说过于繁难，所以我们只是点到为止。不过，由于古今语音的差异，有些诗词读起来可能不够押韵。这些知识和疑惑，我们在书中都一一讲到了。

接下来是“联句对仗”部分，我们专门讲述古典诗词的对仗常识和技巧。然后还有“延伸阅读”和“思考讨论”，让小朋友们对每节课学过的知识进行巩固，加深印象。

此外，在附录中，我们为大家附上了平水韵和普通话新韵，供大家参考。还为大家提供了加注拼音的《声韵启蒙》及《笠翁对韵》。这两本书都是清人所著，把对仗知识编成可以成诵的语句，按照不同的韵部编排在一起。它们读起来朗朗上口，方便记忆，是小朋友学习声律对仗的上佳教材。因此，我们不吝篇幅，将它们呈现给大家。

在编写过程中，书中所涉及到的格律知识，如果学术界有不同意见，我们主要以王力先生《诗词格律》中的说法为准。词的格律部分，我们参考了清代人舒梦兰所编的《白香词谱》。另外还有很多常识性内容，我们不再一一列举出处。

或许，正如诗词的内容一样，有些格律知识，现在要求小朋友们真正读懂并不容易，但把它们熟记于心，变成自身智识的一部分之后，他们会在以后的学习中慢慢咀嚼出滋味。

通过这种化难为易、不断强化的学习方式，我们希望在日积月累的诗词讲授中，在反复的、渐进的、系统的熏陶、滋养中，让小朋友在潜移默化中，了解中国古典格律诗词的声韵、对仗知识，让他们能够在学习古典诗词的过程中，多一些声情并茂的诵读，多一些陶情冶性的快乐，多一些诗情画意的美丽，能从中感受到“智”与“美”。

第一章　五言绝句

五言绝句常常被简称为“五绝”。为什么叫“绝句”呢？这由它的别名可以看出来。它又被称为“截句、断句、短句”，古人认为，“绝句”是“截取律之半”以便入乐传唱，所以它也因此得名。而“五言”是指这种诗歌形式中每句诗有“五个字”。

五绝的格律分为两大类，一共四种句式：

正格平起式有两种：1. 平起平收，首句押韵；2. 平起仄收，首句不押韵。

偏格仄起式有两种：1. 仄起平收，首句押韵；2. 仄起仄收，首句不押韵。

由于五绝全诗只有二十个字，所以想要用它表达一个完整的意境是非常难的。有人说：五言绝句如二十个才子聚会，容不得一个庸夫。这就要求字字珠玑。所以，与七言绝句相比，五绝的名篇佳作要少得多。

总的来说，五绝的最大特点是因小见大，以少总多，在短章中蕴含丰富的内容。盛唐是五绝创作的鼎盛期。其中，李白、王维两人是历代评论家公认的五绝圣手。

登鹳雀楼

（唐） 王之涣

白日[1]依[2]山尽[3]，
黄河入海流。
欲穷[4]千里目，
更上一层楼。

注释

[1]白日：指落日、夕阳。由于傍晚的太阳光线黯淡变白，所以称为白日。　[2]依：依傍。此处指一轮落日依傍着鹳雀楼前一望无际、连绵起伏的群山渐渐西沉。　[3]尽：消失。这句话是说太阳依傍山峦沉落，慢慢消失。　[4]穷：尽，使达到极点。在成语“山穷水尽”和词语“穷尽”中，“穷”字还保留着“尽”的含义。

声律点津

五绝“仄起仄收”式诗律与押韵

盛唐以后，五言绝句就已经严格遵守格律诗的规则了，在字数、押韵、平仄等方面都有规定。这首五言绝句的基本句型是首句“仄起仄收”。

这里的“仄”，是古人对“上声、去声、入声”三种声调的统称。古人将汉语的音调分为平声、上声、去声、入声四声，除了平声以外，其他三声统称为“仄声”。需要注意的是，古人的四声和我们今天普通话中的“ˉ”（阴平）、“ˊ”（阳平）、“ˇ”（上声）、“ˋ”（去声）不同。

现在，我们来为这首诗标注一下平仄声调，我们用“丨”表示仄声，用“—”表示平声：

白日依山尽，黄河入海流。欲穷千里目，更上一层楼。

丨丨——丨，——丨丨—。丨——丨丨，丨丨丨——。

我们可能已经注意到了，“日、尽、入、欲、目、更、一”在普通话中都可以读“ˋ”（去声），所以理应是仄声；“海、里”是“ˇ”（上声），也是仄声。但为什么“白”字也是仄声呢？虽然“白”在现代汉语普通话中读“bái”，是平声字。但在中古，也就是诗人王之涣生活的年代，“白”字读入声，所以应该是仄声。

在现代汉语普通话中，“入声”这一读音已经消失了，读入声的字，已经分别变成其他三声的读音。但在一些方言里，还保留着部分入声字。比如，目前在江浙沪一带方言中的“白”字，就保留了入声读音。用汉语拼音表示，读音近似“bò”。同学们如果家在南方，可以试着用方言体会一下入声字的读音。

为这首诗标注完平仄之后，我们来看看它是否符合五绝的格律要求。在五绝中，首句“仄起仄收”型诗歌的全诗格律如下：

（仄）仄平平仄，平平仄仄平。（平）平平仄仄，（仄）仄仄平平。

上面的格律中，加括号的表示这个位置上的字，可以是平声字，也可以是仄声字。

现在，拿这个格律和我们标出来的这首诗的平仄对照一下，它们是不是一致呢？

看完了平仄，我们来看另一个重要内容——押韵。

诗歌都是要求押韵的，古今中外都是如此。但什么是“韵”呢？

我们都知道，汉语拼音是由“声母、韵母、声调”组成的，有的

读音可以没有声母，有的读音可以没有声调，但每一个读音都一定要有韵母。在古代，虽然没有我们今天使用的汉语拼音这种注音方式，但古人对汉语音节已经有了清晰的认识，他们把每一个汉字的音节分为两部分，一部分是“声”，另一部分是“韵”。“声”相当于我们今天的“声母”，“韵”相当于我们今天的“韵母”和“声调”。

在诗歌创作中，把“韵”相同或相近的字，放在规定的位置上，就是“押韵”。对于绝句来说，它的格律是第二句和第四句押韵。至于第一句，可以押韵，也可以不押韵。这首诗就是二、四句押韵。

联句对仗

什么是“对仗”

《登鹳雀楼》这首诗除了在押韵和平仄上特别工整之外，还是一首全篇使用对仗的绝句。

“对仗”是吟诗作对时极为重要的格律要求。“对”在这里做动词，意思是指将两两一对的东西放在一起；“仗”字来自古代的一种仪式，借“仪仗”之意，因其往往由两人一组来举行。所以，在诗词格律中，“对仗”指的就是一种两两相对、字数相等、句法相似、平仄相对、意义相关的词组或句子所使用的修辞法。

由于绝句可以看做是律诗的截取，所以在对仗上要求不是特别严格。但在这首诗中，前两句“白日”和“黄河”两个名词相对，“白”与“黄”两种色彩相对，“日”和“河”两种自然界的事物相对。“依”与“入”两个动词相对。用的是正名对，即所谓“正正相对”。后两句也整齐均匀，在形式上是很完美的。

沈德潜在《唐诗别裁集》中选录这首诗时曾指出：“四语皆对，读去不嫌其排，骨高故也。”绝句总共只有两联四句，如果两联都用对仗，若非气势充沛，一意贯连，很容易显得雕琢呆板或支离破碎。但这首诗给人的感觉浑然天成，没有刻意对仗的痕迹，语句极为工整，可见诗人的功力多么非凡。

延伸阅读

马 诗

（唐） 李贺

大漠沙如雪，燕山月似钩。何当金络脑，快走踏清秋。

｜｜——｜，——｜｜—。———｜｜，｜｜｜——。

独坐敬亭山

（唐） 李白

众鸟高飞尽，孤云独去闲。相看两不厌，只有敬亭山。

｜｜——｜，——｜｜—。——｜｜｜，｜｜｜——。

［注］“独”是入声字，“看”在这里读平声。

思考讨论

我们熟悉的唐代诗人孟浩然的《春晓》“春眠不觉晓，处处闻啼鸟。夜来风雨声，花落知多少”也是押韵的，读起来朗朗上口。不过，它和我们这一节中提到的几首诗相比，在押韵上有什么不同之处吗？

塞下曲[1]

（唐）卢纶

月黑[2]雁飞高[3]，单于[4]夜遁[5]逃。
欲将[6]轻骑[7]逐[8]，大雪满弓刀[9]。

注释

[1]《塞下曲》并不像《登鹳雀楼》一样是某一首诗歌独有的名称，而是古时候的一类边塞军歌。唐朝的很多诗人都用这个题目写过诗篇，其中比较有名的是王昌龄、高适、李白、卢纶、李益、许浑等。卢纶的《塞下曲》一共有六首，它们组成了一组诗歌，分别描写边塞军营生活中将士发号施令、射猎破敌、奏凯庆功等情形。这首是其中的第四首。 [2]月黑："月黑"不是说"月亮是黑的"，而是指"没有月光"。 [3]雁飞高：是说月黑风高夜，大雁被惊飞。著名数学家华罗庚认为这句诗描述的景象违背了北

国的自然规律，曾作诗质疑："北方大雪时，群雁早南归。月黑天高处，怎得见雁飞？"而大诗人郭沫若回应华罗庚的质疑，也写了一首诗："深秋雁南飞，懒雁慢未随。忽闻寒流至，奋翅连连追。"

[4]单于（chán yú）：匈奴人对他们部落联盟首领的专称，在这里用来借指当时经常南侵唐朝的契丹等入侵者的最高统帅。

[5]遁（dùn）：逃亡，逃跑。　[6]将：率领。　[7]轻骑：轻装快速的骑兵。在古汉语中，"骑"字读平声 qí 的时候是动词，表示"骑马、跨马"等动作；读去声 jì 的时候是名词，表示"骑兵、所骑的马"。所以，这里的"骑"字读去声。　[8]逐：追赶。"追"和"逐"本身就是近义词。　[9]弓刀："弓"是指弓箭，在古代战场上，武将要善于射箭。"刀"是指长柄武器，此处尤其指在马上作战的武器。

声律点津

五绝"仄起平收"式的格律

这首诗的平仄格律是这样的：

月黑雁飞高，单于夜遁逃。欲将轻骑逐，大雪满弓刀。

｜｜｜——，——｜｜—。｜——｜｜，｜｜｜——。

它是一首"仄起平收"型的五言绝句。在古代的诗歌格律要求中，"仄起平收"型五绝的格律应该是：

（仄）仄仄平平，平平仄仄平。（平）平平仄仄，（仄）仄仄平平。

现在来对照一下，这首诗的格律是不是一丝不苟呢？我们可以看到，它完全符合要求。

只是，为什么我们要把"黑、逐"字标成仄声呢？

在现代汉语普通话中，"黑"读 hēi，"逐"读 zhú，都是平声

字。但在唐宋时期,“黑”是“入声德韵”字,“逐”是“入声屋韵”字，所以自然都是仄声了。我们已经知道“黑”和“白”在中古都是入声字，在你的方言中，还有哪些字发音特点跟它们相似呢?它们可能也是入声字哦。

另外，我们可以看到，除了第二句以外，在另外三句的格律要求中，头一个字的平仄都是加括号的。尤其是第一句的头一个字可以平也可以仄，所以判断整首诗是否为“仄起”，一般要看第二个字是平声还是仄声。比如“寥落古行宫”就是“仄起平收”的格律，因为作为首句，它的第二个字“落”是仄声，而最后一个字“宫”是平声。

虽然五言绝句首句以不入韵为常见，但这首诗的首句是平声收尾，平收的句式又往往是押韵的。所以,“高”和“逃”“刀”一样押韵。

联句对仗

什么是“对偶”

一般来说，我们对绝句的对偶没有严格的要求。对偶无妨，比如“白日依山尽，黄河入海流”。不对偶也可以，比如这首诗中的“月黑雁飞高，单于夜遁逃”就是不对偶的。

我们已经知道了对仗的含义。在诗词中，要想形成对仗，需要使用对偶。那么什么是对偶呢?它是指把同类的概念或对立的概念并列起来，比如“海阔凭鱼跃，天高任鸟飞”。一般我们讲对偶，指的都是两句相对。上句叫出句，下句叫对句。但有时候也可以有“句中对”，也就是同一句诗中某些语词自成对偶，比如“红屏风掩绿窗眠”。

对偶的一般规则是名词对名词，动词对动词，形容词对形容词，副词对副词等。但实际上我们知道，名词还可以细分为很多种类，比如天文、地理、时令、器物、服饰等。所以，如果用同一意义范畴的词相对，就被认为是工整的对偶，简称“工对”。

比如杜甫的“两个黄鹂鸣翠柳，一行白鹭上青天”，这两句诗中，“两”和“一”是数词对数词，“个”和“行”是量词对量词，“黄鹂”和“白鹭”是鸟类相对，“鸣”和“上”是两个动词相对，“翠”和“青”是颜色名词相对，显得非常工整，就可以称为“工对”。

延伸阅读

梅花

（宋）王安石

墙角数枝梅，凌寒独自开。遥知不是雪，为有暗香来。

—｜｜——，——｜｜—。——｜｜｜，｜｜｜——。

［注］“不”、“独”是入声字。

行宫

（唐）元稹

寥落古行宫，宫花寂寞红。白头宫女在，闲坐说玄宗。

—｜｜——，——｜｜—。｜——｜｜，—｜｜——。

［注］“白”和“说”是入声字。

思考讨论

细读杜甫的这首《绝句》，想想看都是哪些词语构成了“工对”：

迟日江山丽，春风花草香。

泥融飞燕子，沙暖睡鸳鸯。

听　筝[1]

（唐）李端

鸣筝金粟柱[2]，素手[3]玉房[4]前。
欲得周郎[5]顾[6]，时时误拂弦。

注释

[1]筝：古代一种弹拨的乐器，我们今天称它为“古筝”。只是今天的古筝弦数多是十六根、十八根或二十一根等，但从白居易在《听崔七妓人筝》中的“花脸云鬟坐玉楼，十三弦里一时愁”和刘禹锡《夜闻商人船中筝》中的“大艑高帆一百尺，新声促柱十三弦”等句子中我们可以知道，唐朝的“筝”弦数为十三根。

[2]金粟柱：“柱”是指乐器上的系弦木。李商隐在《锦瑟》中有“锦瑟无端五十弦，一弦一柱思华年”的句子，里面的“柱”是同样意思。“金粟”，是指“柱”上装饰华贵，有金星状的花纹。

[3]素手：指洁白的手，多形容女子的手。如《古诗十九首·青青河畔草》中有“娥娥红粉妆，纤纤出素手”。此处指弹筝女子纤细洁白的手。　[4]房：筝上架弦的枕；玉房，指玉制的筝枕。

[5]周郎：即三国时吴国的周瑜。周瑜年少得志，二十四岁就被授予建威中郎将的职位，人称“周郎”。他精通音律，如果有人弹错了曲子，周瑜一定会知道，然后就会看他们。所以当时流传着一句歌谣“曲有误，周郎顾”。这里用“周郎”来指代弹筝女子心仪的知音。　[6]顾：看。“回顾”的意思就是“回头看”。

声律点津

五绝“平起仄收”式的格律

这首诗的平仄格式是这样的：

鸣筝金粟柱，素手玉房前。欲得周郎顾，时时误拂弦。

———||，|||——。||——|，——||—。

五言绝句“平起仄收”式的格律要求如下：

（平）平平仄仄，（仄）仄仄平平。（仄）仄平平仄，平平仄仄平。

我们可以看到，这首诗的平仄完全符合格律要求。

同学们应该已经猜到了，这首诗里面也有入声字。因为“得”和“拂”今天都读“二声”，也就是“阳平”调，但我们却把它们标成了“仄声”。的确，“得”在中古时期是“入声德韵”字，“拂”在中古是“入声物韵”字，它们都是入声字。在诗人作诗的年代，它们当然读仄声了。

在谈到诗词格律的时候，不管是“平起仄收”也好，还是“仄起平收”也好，都是指首句而言，不过由于一般首句的首字平仄不限，所以往往以第二字的平仄为准。而且对于绝句这一体裁来说，韵脚在二、四两句，通常押平声韵。

联句对仗

“粘”与“对”

我们已经知道《听筝》这首诗的格律特别整齐，那么现在我们来细看它的平仄格式：

———｜｜，｜｜｜——。

｜｜——｜，——｜｜—。

大家可以发现，第一句与第二句的平仄正好相反，也就是说，第一句的第一个字如果是平，那么第二句的第一个字就是仄。其他位置上的字，也遵循同样的规律。这就是近体诗格律中的“对”。这样做的目的是为了让平仄字音错综安排，体现出抑扬顿挫的韵律美。

除了“对”之外，还有一个规则叫“粘”。我们来看第二句和第三句。第二句第二个字的位置上是“仄”，第三句第二个字的位置上也是“仄”；第二句的第四个字是“平”，第三句的第四个字也是“平”。这就是“粘”。也就是说，第三句的第二和第四个字，要与第二句的平仄“粘连”相同。为什么是第二和第四个字呢？因为在诗词格律中有一条规律叫“一三五不论”，诗句中第一、第三、第五个字的平仄是可以通融变化的。所以对格律的很多规定都是针对第二和第四个字（如果是七言诗，还有第六个字）的。

延伸阅读

夜宿山寺

（唐）李白

危楼高百尺，手可摘星辰。不敢高声语，恐惊天上人。

———｜｜，｜｜｜——。｜｜——｜，｜——｜—。

［注］“摘”是入声字。

宿建德江

（唐） 孟浩然

移舟泊烟渚，日暮客愁新。野旷天低树，江清月近人。

——|—|，|||——。||——|，——||—。

［注］“泊”是入声字。

思考讨论

试为王维的《鹿柴》标出平仄：

空山不见人，但闻人语响。返景入深林，复照青苔上。

听　鼓

（唐） 李商隐

城头叠鼓[1]声，
城下暮江[2]清。
欲问渔阳掺[3]，
时无祢正平[4]。

注释

［1］叠鼓：小击鼓，急击鼓。李善在给《文选》谢朓《鼓吹曲》“凝笳翼高盖，叠鼓送华辀”一句做注释的时候说：“小击鼓谓之叠。”

同时，“叠”也可以指击鼓声。　[2]暮江：指傍晚的江水。“暮”指“日落时、傍晚”，它可以修饰很多名词，比如“暮晖”指“落日的余晖”，“暮霭”指“傍晚的云雾”，“暮雨”指“傍晚的雨”，“暮色”指“傍晚昏暗的天色”。　[3]渔阳掺：即《渔阳掺挝》，是一首鼓曲名。白居易在《长恨歌》中有“渔阳鼙鼓动地来，惊破霓裳羽衣曲”一句，里面的“渔阳鼙鼓”指的就是这首曲子。相传这首曲子是由祢（mí）衡创作的，“渔阳”是借用东汉光武帝时渔阳太守彭宠反汉的故事。　[4]祢正平：指祢衡，字正平。《后汉书·祢衡传》中记载了祢衡的故事，大意是这样的：孔融赏识祢衡的才华，向曹操推荐他。祢衡非但拒绝，还在背地里对曹操大放厥词。于是曹操就封祢衡为“鼓吏”：一个击鼓的小官。正赶上月半要汇集宾客试鼓的音色，曹操命令祢衡击鼓。祢衡没有换上制服，而是穿着自己的旧衣上场了。负责礼仪的官员命令祢衡换上制服，但祢衡没理会，拿起鼓槌，从容击鼓，奏出了一曲《渔阳掺挝》，其音沉郁悠远，听上去有金石之声，令在座众人“容态有异，声节悲壮，听者莫不慷慨”。这时候，祢衡走到曹操跟前，不慌不忙地脱掉自己的旧衣，一直脱到一丝不挂，然后神情自若地换上制服，又再击鼓一曲，随后扬长而去。曹操只好笑着说：“本来想要羞辱祢衡的，结果他反倒羞辱了我。”

声律点津

五绝“平起平收”式的格律

这首诗的平仄格律是这样的：

城头叠鼓声，城下暮江清。欲问渔阳掺，时无祢正平。

——｜｜—，—｜｜——。｜｜——｜，——｜｜—。

由于首句第二个字“头”是平声，首句最后一个字“声”也是平声，所以这首诗是“平起平收”的格式，而五言绝句“平起平收”式诗歌的格律要求如下：

平平仄仄平，（仄）仄仄平平。（仄）仄平平仄，平平仄仄平。

我们可以看到，这也是一篇格律工整的诗作。由于首句是平声收尾，首句入韵，所以这首诗是一、二、四句押韵。

这首诗中也有一个入声字，就是“叠”。“叠”字在中古时期是“入声帖韵”字，所以我们今天在分析这首诗的格律时，要把它标为仄声字。

现在，我们已经把五绝的四种格律都了解了一遍，可以把它们总结一下：

首句“仄起”的两种格式是：

（仄）仄平平仄，平平仄仄平。（平）平平仄仄，（仄）仄仄平平。

（仄）仄仄平平，平平仄仄平。（平）平平仄仄，（仄）仄仄平平。

首句“平起”的两种格式是：

（平）平平仄仄，（仄）仄仄平平。（仄）仄平平仄，平平仄仄平。

平平仄仄平，（仄）仄仄平平。（仄）仄平平仄，平平仄仄平。

上下对照来看，我们会发现，“仄起”的两种格式，除了第一句的平仄要求不同之外，其他三句都相同。“平起”格式也一样。所以，我们其实只需要记住两种格式，然后把首句按照平仄错落分列的规律改变一下就可以了。

联句对仗

“失粘”与“失对”

我们已经知道了，在近体诗的格律中，对诗歌的平仄有“粘对”

的要求。就拿绝句来说，第三句的第二个字的平仄，必须跟第二句第二个字的平仄一致，平粘平，仄粘仄，把两句粘连起来，这就是“粘”；第一句和第二句、第三句和第四句之间，相同位置（尤其是偶数字位置）上的字，平仄需要是相反的类型，这是“对”。

作诗时，如果不合乎“粘”的规则，就叫“失粘”；如果不合乎“对”的规则，就叫“失对”。在初唐时，近体诗的格律还未完全形成，“粘”和“对”的规则也尚未确定，所以时常会见到“失粘”和“失对”的现象。即便是诗仙李白，也经常会出现这种情况。比如我们非常熟悉的《静夜思》：“床前明月光，疑是地上霜。举头望明月，低头思故乡。”它的格律是：“平平平仄平，平仄仄仄平。仄平仄平仄，平平平仄平。”根据“粘对”的规则，我们可以看到，前两句中第四个字“失对”，后两句中第二个字也“失对”，且第三句和第二句“失粘”。所以，虽然李白的诗歌飘逸潇洒，但并不是学习诗词格律最好的范本。和他相比，杜甫的诗歌更讲究格律规则。所以，从诗词格律的角度来看，我们可以多阅读杜诗。

延伸阅读

闺人赠远

（唐） 王涯

花明绮陌春，柳拂御沟新。为报辽阳客，流芳不待人。

——｜｜—，｜｜｜——。｜｜——｜，——｜｜—。

［注］“拂”与“不”是入声字。

鹧鸪词

（唐） 李益

湘江斑竹枝，锦翅鹧鸪飞。处处湘云合，郎从何处归？

———丨—，丨丨丨——。丨丨——丨，———丨—。

［注］“竹”与“合”是入声字。

思考讨论

唐代诗人柳宗元有一首《江雪》：“千山鸟飞绝，万径人踪灭。孤舟蓑笠翁，独钓寒江雪。”试分析它有没有出现“失粘”或者“失对”的现象。

第二章　七言绝句

七言绝句（简称“七绝”）和五言绝句一样属于近体诗范畴，它们都是只有四句。不同之处在于，七言绝句的四句诗，每句都有七个字，而五言绝句每句只有五个字。

七言绝句的格律也可以分为两大类，共四种句式，分别是：

平起式两种：平起平收，首句押韵；平起仄收，首句不押韵。

仄起式两种：仄起平收，首句押韵；仄起仄收，首句不押韵。

一般而言，第一、二、四句平声同韵；第三句仄声不同韵。第二、四句倒数第三字通常为仄音。

在唐代，七绝格律逐渐定型，并成为最具代表性的诗歌体裁之一。一时间名家辈出，佳作不断，题材涉及山水、田园、边塞、战乱、怀古、咏史、离别、思乡、闺怨、奁艳、悼亡以及四时、宫怨、游仙，等等。

九月九日[1]忆山东兄弟[2]

（唐）王维

独在异乡[3]为[4]异客，每逢佳节倍[5]思亲。
遥知[6]兄弟登高[7]处，遍插茱萸[8]少一人。

注释

[1]九月九日：这里的九月九日是农历的九月初九，也就是重阳节。从唐代开始，重阳节正式成为重要的民间节日。这一天，人们会和亲人一起登高“避灾”，插茱萸、赏菊花。它和除夕、清明、盂兰盆三节一起，成为祭祖的四大节日。现在重阳节也被称为“老年节”。 [2]山东兄弟：这里的“山东”不是指今天的山东省，而是指“华山以东”。由于王维是蒲州（现在的山西永济）人，蒲州在华山东面，而王维当时在华山西面的长安，所以把故乡的兄弟称为“山东兄弟”。 [3]异乡：外乡、他乡。今天还有词语“异国他乡”，“异”和“他”是近义词。 [4]为：这里的“为”是动词，意思是“做、干”，成语“为非作歹”中的“为”就保留着这一意思。 [5]倍：加倍，更加。 [6]遥知：在远处知晓情况，远远地想到。王安石在《梅花》诗中也有“遥知不是雪，为有暗香来”的句子。
[7]登高：在重阳节这一天，民间有登高避邪的习俗。 [8]茱萸：也叫越椒，是一种香气浓烈的植物，重阳节时，民间有佩戴茱萸的

习俗。跟端午节在门楣上插菖蒲一样，最初的用意都是为了辟邪。

声律点津

七绝“仄起仄收”式诗律与“音步”

王维的这首诗是严格符合“仄起仄收”式格律要求的，你能为它标出平仄吗？

在这首诗中，“独”是入声字。知道了这一点，问题就迎刃而解了。

在近体诗中，七绝“仄起仄收”式诗歌的格律是这样的：

（仄）仄（平）平平仄仄，（平）平（仄）仄仄平平。

（平）平（仄）仄平平仄，（仄）仄平平仄仄平。

和五绝的格律一样，加括号的字表示这个位置上的字可以是平声，也可以是仄声。从上面的格律要求中，我们可以明显看到，第一个字都是可平可仄的，这也就是为什么判断一首诗是“平起”还是“仄起”，要看第二个字。

如果我们认真观察，会发现一个规律，每句开头要么是“平平”，要么是“仄仄”。每一句诗律都是“平平”、“仄仄”和一个单音“平”或“仄”的组合。正是它们四个，构成了诗词格律平仄中的基本元素，我们把它们称为“步”，然后再由这四种“步”组成诗句。基本上，在近体诗格律中，“双平”与“双仄”是显著特点。

联句对仗

对偶的形式

为了追求诗句结构的匀称和形式的美，古典诗词往往离不开对偶的表现手法。我们已经知道了，“对偶”是用字数相等、结构相同、意义相对的词或短语来表达意思的修辞方式。但你知道吗，对偶也有很多形式呢。

根据宋人潘自牧在《记纂渊海》中的记载，生活在唐朝武则天时代的上官仪曾经说过“诗之六对”、“诗之八对”。它们分别是这样的：

诗之六对

一、正名对：天地日月是也。

二、同类对：花叶草芽是也。

三、连株对：萧萧赫赫是也。

四、双声对：黄槐绿柳是也。

五、叠韵对：彷徨放狂是也。

六、双拟对：春树秋池是也。

诗之八对

一、地名对：送酒东南去，迎琴西北来。

二、异类对：风织池间树，虫穿叶上文。

三、双声对：秋露香佳菊，春风馥丽兰。

四、叠韵对：放荡千般意，迁延一介心。

五、联绵对：残河若带，初月如眉。

六、双拟对：议月眉欺月，论花颊胜花。

七、回文对：情新因意得，意得因情新。

八、隔句对：相思复相忆，夜夜泪沾衣。
空叹复空泣，朝朝君未归。

虽然对我们来说，这些对偶形式显得太复杂了，但了解它们，有助于我们欣赏古典诗词参差百态的格律美。

延伸阅读

绝　句

（唐）　杜甫

两个黄鹂鸣翠柳，一行白鹭上青天。
窗含西岭千秋雪，门泊东吴万里船。
｜｜———｜｜，｜—｜｜｜——。
———｜——｜，—｜——｜｜—。

［注］“一”和“白”、“泊”都是入声字。

赠刘景文

（宋）　苏轼

荷尽已无擎雨盖，菊残犹有傲霜枝。
一年好景君须记，最是橙黄橘绿时。
—｜｜——｜｜，｜——｜｜——。
｜—｜｜——｜，｜｜——｜｜—。

［注］“菊”和“一”、“橘”都是入声字。

思考讨论

请根据我们之前已经学过的内容，总结这些诗句中出现的入声字。除了它们，在自己的方言中，你还发现了哪些入声字呢？

山 行[1]

（唐） 杜牧

远上寒山[2]石径[3]斜[4]，
白云生处[5]有人家。
停车坐[6]爱枫林晚[7]，
霜叶红于二月花。

注释

[1]山行：在山中行走。 [2]寒山："寒山"在这里不是某座山的名字，而是指深秋时节已有寒意的山。 [3]径：小路。杜甫在《客至》中有"花径不曾缘客扫，蓬门今始为君开"的句子。
[4]斜：在这里读 xiá，意思是"侧斜或曲折地向前延伸"。
[5]生处：白云缭绕而生的地方。在有的版本中，"生处"也写作"深处"。 [6]坐：因为、由于。北魏郦道元在《水经注·江水一》中写道："母好饮江水，嗜鱼脍，常以鸡鸣，遡流汲江，子坐取水溺死。"这里的"坐"就是"因为"的意思。 [7]枫林晚：指枫林在傍晚中的美景。

声律点津

七绝“仄起平收”式诗律与“韵脚字”

杜牧的《山行》这首诗是“仄起平收”式的七绝，因为首句第二个字“上”是仄声字，首句最后一个字“斜”是平声字。现在我们来为其标明平仄：

远上寒山石径[斜]，白云生处有人[家]。

停车坐爱枫林晚，霜叶红于二月[花]。

｜｜——｜｜—，｜——｜｜——。

——｜｜——｜，—｜——｜｜—。

我们已经知道了“白”在中古是入声字，除了它之外，这首诗中还有一个入声字,大家发现了吗？那就是“石”,它在中古是“入声昔韵”字。

现在我们把这首诗的平仄和七绝“仄起平收”式诗律进行对照：

（仄）仄 平平仄仄平，（平）平（仄）仄仄平平。

（平）平（仄）仄平平仄，（仄）仄平平仄仄平。

对比之后我们会发现，《山行》的格律是与诗律格式相吻合的。

此外，大家可能已经注意到了，上面的诗律中有三个平声字是加了方框的，因为它们要押韵。这些在句子最后押韵的字，就叫做“韵脚字”，它们所在的位置，就是“韵脚”。

联句对仗

“工对”与“宽对”

在讲“对仗”这一概念的时候，我们已经提到过“工对”这一术语，它指的是“很工整的对仗”。古人在创作诗词时，根据对仗的要求，把词划分成了九类：名词、形容词、数词、颜色词、方位词、动词、副词、虚词、代词。光有这些还不够，各类词又可以细分为若干小类。比如，名词还可以分为天文、地理、时令、宫室、器物、衣饰、饮食、文具、文学、草木、鸟兽、形体、人事道德才情、人伦父子兄弟等小类。

一般来说，必须使用同一门类的词语相对才叫“工对”，如“国破山河在，城春草木深”；但有些名词是例外，它们虽然不属于同一小类，但由于实际使用时经常被相提并论，所以也算工对。比如天地、诗酒、花鸟等就是这样。所以王维《山居秋暝》中的“明月松间照，清泉石上流”也被认为是工对。

和“工对”相对应的概念是“宽对”，顾名思义，它在对仗上的要求没有那么严格，相对宽松，一般只需要句型相同、词性相同，就可以构成对仗。比如黄鲁直《答龙门潘秀才见寄》中的“明月清风非俗物，轻裘肥马谢儿曹”就是宽对。

延伸阅读

枫桥夜泊

（唐） 张继

月落乌啼霜满天，江枫渔火对愁眠。
姑苏城外寒山寺，夜半钟声到客船。
丨丨———丨—，———丨丨——。
———丨——丨，丨丨——丨丨—。

夜雨寄北

（唐） 李商隐

君问归期未有期，巴山夜雨涨秋池。
何当共剪西窗烛，却话巴山夜雨时。

—丨——丨丨—，——丨丨丨——。

——丨丨——丨，丨丨——丨丨—。

［注］“烛”是入声字。

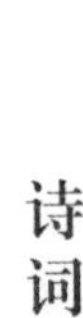

思考讨论

在张继的《枫桥夜泊》中，有一个字是没有严格遵照平仄格律的，你能找出来是哪一个字吗？

忆江柳

（唐）白居易

曾栽杨柳[1]江南岸，一别[2]江南两度春[3]。

遥忆[4]青青江岸上，不知攀折[5]是何人。

注释

[1]杨柳：此处的“杨柳”不仅仅是两种普通的树木，它们代表的是中国古典文学中一个常见的情思缠绵的意象。从诗经中的“昔我往矣，杨柳依依；今我来思，雨雪霏霏”开始，“杨柳”就成为为惜别时最常用的意象了。　[2]别：离别。江淹在《别赋》中有一句著名的“黯然销魂者，唯别而已矣”，这里的“别”也是离别之意。　[3]两度春:“度”在这里是量词，表示“次，回”。“两度春”意思是“两年”。　[4]忆:这里的“忆”不是表示“回忆”,而是“思念、想念”。《乐府诗集·饮马长城窟行》中有一句“上言加餐食,下言长相忆”,其中的“长相忆”意思就相当于“长相思”。[5]攀折:由于“攀”可以表示“牵挽、抓住”之意，所以“攀折”表示“拉折、折取”。

声律点津

七绝“平起仄收”式诗律与“韵部”

七绝“平起仄收”式诗歌的格律要求如下：

（平）平（仄）仄平平仄,（仄）仄平平仄仄平。

（仄）仄（平）平平仄仄,（平）平（仄）仄仄平平。

现在我们来看白居易的《忆江柳》是否合乎规则。在这首诗中有四个入声字，分别是“一”、“别”、“不”和“折”。所以，它的平仄是这样的：

曾栽杨柳江南岸，一别江南两度春。

遥忆青青江岸上，不知攀折是何人。

———|——|，||——||—。

—|———||，|——||——。

这也是一首格律严整的七绝，押的是“真”韵。

这里所说的“真”，是一个韵部的名称。所谓韵部，就是把相同韵母的字归纳在一起，它们所分成的一个个类别，就叫做“韵部”。在同一韵部内的字，就是同韵字。在诗词创作中，韵脚字需要是同韵字，因此要从同一韵部中选取。

不过，在我们国家广阔的疆域内存在着多种方言，比如，上海话和北京话中很多字的读音差别特别大。在古代，也是一样的情形，各地区人们使用不同的方言。那么，作诗时该怎样判断同韵字呢？

这就需要用到韵书了。隋朝有个叫陆法言的人编纂了一本《切韵》，这本书中的韵部，是由当时的几位大学者一同商议审定的，属于民间性质的韵书。从唐代开始，官方在此基础上开始颁布同类韵书，比如《唐韵》、《广韵》、《礼部韵略》、《佩文诗韵》等。与此同时，民间也有不少学者自己编修韵书，比如，后来最为流行的“平水 106 韵”，就是根据南宋时山西平水县官员王文郁编著的《平水新刊韵略》得来的。

联句对仗

自　对

我们之前了解到的“工对”与“宽对”，是用来描述对仗严格程度的，现在我们来看一些对仗技巧，比如自对。

从名称上来看，自对似乎是表示“自己对仗”，事实上也的确如此，它是指“在一句之内自成对偶”，所以也叫“当句对”。

比如，宋代的洪迈在他的《容斋随笔》一书中，对自对的起源与例子有比较详细的描述。他引用了李商隐的一首诗：“密迩平阳接上兰，秦楼鸳瓦汉宫盘。池光不定花光乱，日气初涵露气干。但觉游蜂绕舞蝶，岂知孤凤接离鸾，三星自转三山远，紫府程遥碧落宽。”

在这首诗中,大量使用了自对这一对仗方式,比如第二句的“秦楼”对“汉宫”,第五句的“游蜂”对“舞蝶”;第六句的“孤凤”对“离鸾”等，都是自对的范例。

延伸阅读

大林寺桃花

（唐） 白居易

人间四月芳菲尽，山寺桃花始盛开。

长恨春归无觅处，不知转入此中来。

——丨丨——丨，—丨——丨丨—。

—丨———丨丨，丨—丨丨丨——。

饮湖上初晴后雨

（宋） 苏轼

水光潋滟晴方好，山色空蒙雨亦奇。

欲把西湖比西子，淡妆浓抹总相宜。

丨—丨丨——丨，—丨——丨丨—。

丨丨——丨—丨，丨——丨丨——。

思考讨论

根据我们之前学过的知识，判断下列字中哪一个不是入声字：

A. 白　B. 一　C. 独　D. 黑　E. 分　F. 竹

早发[1]白帝城[2]

（唐） 李白

朝[3]辞[4]白帝彩云[5]间，千里江陵[6]一日还[7]。

两岸猿声啼[8]不住[9]，轻舟已过万重山[10]。

注释

[1]发：出发、启程。　[2]白帝城：今天已经不复存在，它的旧址在现在重庆市奉节县白帝山上。　[3]朝：早晨。“朝阳”中的“朝”字用的就是此意。　[4]辞：告别。　[5]彩云：其实是指巫山的云雾。由于白帝城和巫山相近，且白帝城在白帝山之上，地势比较高，所以从山下的江面上抬头仰望，看起来白帝城就好像在云雾之间一样。　[6]江陵：指今天的湖北荆州市。从白帝城到江陵，大约有一千二百里（一里约等于五百米），所以叫“千里江陵”。　[7]还：返回、回来。表示这一意义时读huán。　[8]啼：鸣、叫。　[9]住：停止、停息。在“住

口”一词中，“住”使用的就是同样的含义。　　[10] 万重山：在这里“万”是虚指，并不是说真的有一万重山，而是形容有很多山，层层叠叠的样子。“重”在这里读 chóng。

声律点津

七绝“平起平收”式诗律

现在我们来为《早发白帝城》标明平仄：

朝辞白帝彩云间，千里江陵一日还。

两岸猿声啼不住，轻舟已过万重山。

——｜｜｜——，—｜——｜｜—。

｜｜———｜｜，——｜｜｜——。

诗句中的“白”、“一”、“不”都是常用的入声字，可能大家都已经记住了。

总的来说，李白对诗律的要求没有杜甫那样严格，但这首《早发白帝城》的格律是很工整的，我们可以把它和七绝“平起平收”式诗律进行对比：

（平）平（仄）仄仄平平，（仄）仄平平仄仄平。

（仄）仄（平）平平仄仄，（平）平（仄）仄仄平平。

现在，五绝和七绝格律的四种格式我们都已经了解了。大家有没有发现它们有什么区别和联系呢？

基本上，我们可以把七绝的格律理解成是五绝格律的扩展。也就是说，在五绝格律的基础上，我们在每句诗的开头增加一个平仄相反的双音步，就成了一种新的七绝格律。

比如，我们已经知道了，五绝“仄起仄收”式诗歌的格律是这样的：

（仄）仄平平仄，平平仄仄平。

（平）平平仄仄，（仄）仄仄平平。

在每句开头加上一个与之平仄相反的双音步，就成了这样：

（平）平（仄）仄平平仄，（仄）仄平平仄仄平。

（仄）仄（平）平平仄仄，（平）平（仄）仄仄平平。

而这一格律，正是七绝“平起仄收”式的标准格律。现在，大家是否能够依此类推，用五绝的四种格律，把七绝的四种格律推导出来呢？

联句对仗

借对

借对也被称为“假对”，它是指通过借音或者借义等手段来达到对仗工整的目的。表面上看起来，它似乎不是工整的对仗，但稍加分析，就能领会作者的良苦用心。一般来说，借对可以分为两种类型，一个是借音，另一个是借义。

首先是借音。比如，岑参《和贾至舍人早朝大明宫之作》中有一句“鸡鸣紫陌曙光寒，莺啭皇州春色阑”。表面上看，“紫”和“皇”并不对仗，但由于“皇”和“黄”谐音，而“黄”和“紫”都是颜色词，可以形成工整的对仗，所以这里的“皇”就是“借音对”。杨凭《巴江夜雨》中的“青草连湖岸，繁花忆楚人”也是同样的用法，“湖”与“胡”谐音，而“胡”可以与“楚”相对。

另一种是借义。比如，杜甫《曲江》一诗中有一句“酒债寻常行处有，人生七十古来稀”。我们大家都知道，“寻常”表示“平常”，它在这句诗中使用的也正是这一含义。但其实它在古代还可以作为数量词使用，“八尺为寻，倍寻为常”。这一意义的“寻常”，就可以和“七十”构成工整的对仗了。所以，像这种在诗句中用了副词“平常”的含义，却借用了“数量词”的含义与后面的数量词“七十”形成对仗的用法，就是“借义对”。

延伸阅读

望天门山

（唐） 李白

天门中断楚江开，碧水东流至此回。

两岸青山相对出，孤帆一片日边来。

— — — | | — —，| | — — | | —。

| | — — — | |，— — | | | — —。

［注］“出”和“一”是入声字。

凉州词

（唐） 王之涣

黄河远上白云间，一片孤城万仞山。

羌笛何须怨杨柳，春风不度玉门关。

— — | | | — —，| | — — | | —。

— | — — | — |，— — | | | — —。

［注］“白”、“一”、“不”、“玉”都是入声字。

思考讨论

王之涣的《凉州词》中，有两个相邻的字没有严格按照格律，它们交换了平仄位置。你能找出来是哪两个字吗？

第三章　五言律诗

一般来说，我们把近体诗分为三类：绝句（五言四句、七言四句）、律诗（五言八句、七言八句）、排律（十句以上，也叫长律）。其中，律诗是根本，其他两种类型可以在其基础上增删而来。绝句可以看作是律诗的截取，而排律可以视为律诗的延长。至于诗律，也都以律诗的格律为基准。所以，只要掌握了律诗的格律，我们就可以轻松推演出其他近体诗的格律。

律诗主要分两种——五言律诗和七言律诗。五言律诗每首诗有八句，每句有五个字，共四十个字。它发源于南朝，由齐梁时讲究声律对仗的新体诗演变发展而来，到了初唐的时候渐渐正式形成，在盛唐时期臻于成熟。能代表五律成就的有杜甫、李白、王维等人。

由于绝句可以看作律诗的截取，所以，律诗和绝句一样，也可以分为平起和仄起两种体例，每种又可以分为正格和偏格二种。

总的来说，五律有四种基本句式：（仄）仄平平仄；平平（仄）仄平；（平）平平仄仄；（仄）仄仄平平。它们四个是五律平仄格式变化的基础，记住它们，就可以轻松排列出五律的四种基本格式了。

此外，和绝句相比，律诗的格律要求更为严格，除了要严格遵守平仄、押韵等规则之外，还要讲究对仗。

春 望

（唐） 杜甫

国[1]破[2]山河在，城[3]春草木深[4]。
感时[5]花溅泪，恨别[6]鸟惊心。
烽火[7]连三月[8]，家书[9]抵[10]万金。
白头搔[11]更短，浑[12]欲[13]不胜[14]簪[15]。

注释

[1] 国：这里的“国”不是指国家，而是指“国都”，也就是当时唐代的京城长安（现在的陕西西安）。 [2] 破：被攻破，今天依然有成语“国破家亡”。 [3] 城：这里的“城”和上半句的“国”指的是同一个地方，都是指长安城，当时正被叛军占领。 [4] 深：茂盛。不要把“深”误认为是草木长得高。宋代欧阳修在《和圣俞百花洲》中有一句“不知芳渚远，但爱绿荷深”，在这句诗中我们更能体会到“深”字的“茂盛”义。 [5] 感时：感伤时局。[6] 恨别：悲恨离别。 [7] 烽火：战争、战乱。“烽火”本来指古时候边防报警的烟火，后来就用来指代“战争”。 [8] 连三月：“连”指连续，“三月”不是指确切的三个月，也不是“三月份”，而是个约数，指“多个月”。 [9] 家书：家信。 [10] 抵：值、相当、比得上。 [11] 搔（sāo）：抓、挠。比如“搔痒”。 [12] 浑：

几乎、简直。 [13]欲：将要。唐代诗人许浑在《咸阳城东楼》中有“山雨欲来风满楼”一句，这两个“欲”是同样的意思。

[14]胜：能够承受、经得起。当这个意思讲的时候，旧读 shēng。在词语“胜任”、“不胜其烦”等词语中，“胜”都表示同样的意思。

[15]簪（zān）：“簪”可以表示名词“发簪”，是古人用来绾定发髻或帽子的一种长针，古时候的男子也束发，所以会用到发簪。同时，它也可以表示“插、戴发簪的动作”。

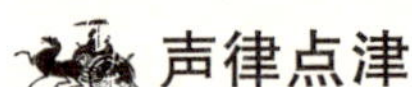

声律点津

律诗的格律要求

杜甫的《春望》是一首“仄起平收”式的五言律诗，其中，“国”、“别”、“白”是仄声字，“胜”读平声。知道了这些，我们可以很容易标出它的平仄，并且会发现，它跟下面所给出的五律“仄起平收”的格律要求是一致的：

（仄）仄平平仄，平平（仄）仄平。（平）平平仄仄，（仄）仄仄平平。

（仄）仄平平仄，平平（仄）仄平。（平）平平仄仄，（仄）仄仄平平。

一般来说，杜甫的诗歌都很讲究格律，是后人学做诗篇的典范。现在，我们一起来了解律诗对格律的要求：

第一，律诗要求诗句字数整齐划一，像“鹅，鹅，鹅，曲项向天歌”这样的诗句是不合要求的。

第二，律诗每首诗歌有八句，一般逢偶句押平声韵（第一句可以押韵，也可以不押韵）。在同一首诗内，只能押同一个韵，也就是需要“一韵到底”，不可以中途换韵。

第三，和绝句不同，律诗的对仗要求很严格。第三句与第四句，第五句和第六句必须对仗。

第四，律诗的平仄必须按照特定的格式安排，符合“粘对”规则，两个相邻的双音步平仄必须要相反。

另外，五言律诗以首句不入韵为正规，而且以仄起式为常见。

联句对仗

律诗的“四联”

不管是五律还是七律，每一首律诗都有八句，每两句一“联”，每联的上句叫出句，下句叫对句。所以，律诗可以分为“四联”，每一“联”都有它自己特定的名称：

第一句和第二句是第一联，称为“首联”（或“起联”）。它是“起”，作用是“开头”。

第三句和第四句是第二联，称为“颔联”。“颔”是“下巴”的意思，它是“承”，作用是“承上”。

第五句和第六句是第三联，称为“颈联”。“颈”是“脖子”的意思，在“下巴”之后。它是“转”，所起的作用是“转折”。

第七句和第八句是第四联，称为“尾联”（或“结联”）。它是“合”，作用是“总结”。

刚才我们已经提过，律诗的第三句与第四句，第五句和第六句必须对仗，也就是颔联和颈联必须对仗。至于首联和尾联，要求相对宽松，可以对仗，也可以不对仗。

就这样，在“起承转合”间，一首律诗就完成了。

延伸阅读

春夜喜雨

（唐） 杜甫

好雨知时节，当春乃发生。随风潜入夜，润物细无声。

｜｜——｜，——｜｜—。———｜｜，｜｜｜——。

野径云俱黑，江船火独明。晓看红湿处，花重锦官城。

｜｜——｜，——｜｜—。｜——｜｜，—｜｜——。

［注］“节”、“发”、“黑”、“独”、“湿”都是入声字；“俱”今天虽然读去声，但在中古是平声字；“看”字可平可仄，在这里可以读平声。

旅夜书怀

（唐） 杜甫

细草微风岸，危樯独夜舟。星垂平野阔，月涌大江流。

｜｜——｜，——｜｜—。———｜｜，｜｜｜——。

名岂文章著，官应老病休。飘飘何所似？天地一沙鸥。

—｜——｜，——｜｜—。———｜｜，—｜｜——。

［注］“独”、“一”和“月”都是入声字，“应”此处读平声。

思考讨论

在律诗的四联中，对于对仗要求最为严格的是哪两联？你能举出一首律诗并分析其中的对仗用法吗？

送杜少府[1]之任[2]蜀州

（唐） 王勃

城阙[3]辅[4]三秦[5]，风烟[6]望五津[7]。
与君[8]离别意，同是宦游[9]人。
海内[10]存知己，天涯若比邻[11]。
无为[12]在歧路[13]，儿女[14]共沾巾[15]。

注释

[1] 杜少府："少府"是唐朝对县尉的通称，这是一首送给一位姓杜的"少府"的赠别诗。 [2] 任：担任、出任，这里指"去……上任"。 [3] 城阙："阙"指皇宫前面的望楼，所以往往被用来代表京都。这里的"城阙"，指的是唐朝的国都长安城。 [4] 辅：卫护、屏藩。这里是说长安城护持、拱卫着"三秦"。 [5] 三秦：指长安附近关中一带地方。秦朝灭亡之后，项羽曾经把关中这一带地方划分为三个国家，分封了三位王侯。他封秦朝降将章邯为雍王，司马欣为塞王，董翳为翟王，合称"三秦"。后来，人们就把这一带地区称为"三秦"。 [6] 风烟：景象、风光。宋

朝的刘过在《行香子·山水画面》一词中有“无限风烟，景趣天然”的句子，指的都是“风光”，尤其指“朦胧的景物”。　[7] 五津：“五津”指的是今天四川省（也就是题目中的“蜀州”）从灌县以下到犍为一段的岷江五个渡口：白华津、万里津、江首津、涉头津、江南津。这里用“五津”指代朋友将要前往的“蜀州”。
[8] 君：对别人的尊称，这里指“你”。　[9] 宦（huàn）游：指外出求官或做官。“宦”在这里指“做官”。　[10] 海内：四海之内，也就是全国各地。由于古人认为我国的疆土四面环海，所以把“天下”称为“四海之内”，有“四海之内皆兄弟”等句。
[11] 比邻：近邻。“比”在这里表示“近、靠近”。比如，在“比邻而居”中，我们还可以看到“比”字的这一用法。　[12] 无为：不需要、不必。　[13] 歧路：从大路上分出来的小路，岔路。古人送别的时候，常常在岔路口处告别。　[14] 儿女：不是指“儿子和女儿”，而是指“青年男女”，尤其是“多情的男女”。在“儿女情长”一词中，“儿女”就是这一含义。　[15] 沾巾：泪水沾湿手帕，形容落泪之多，意思是挥泪告别。最后两句是说“不要像多情的男女那样哭泣，让泪水沾湿巾帕”。

声律点津

拗　句

王勃的这首《送杜少府之任蜀州》是一首“仄起平收”的五律，其中，“别”是入声字，所以全诗的平仄如下：

平仄仄平平，平平仄仄平。仄平平仄仄，平仄仄平平。
仄仄平平仄，平平仄仄平。平平仄平仄，平仄仄平平。

而五律“仄起平收”的格律要求是这样的：

（仄）仄仄平平，平平仄仄平。（平）平平仄仄，（仄）仄仄平平。

（仄）仄平平仄，平平仄仄平。（平）平平仄仄，（仄）仄仄平平。

对比之后我们会发现，第七句加方框的两个字是不符合格律要求的。在格律诗中，这种没有遵照常规平仄格式的句子，就叫“拗句”。“拗”的意思是“不顺”，比如“拗口”中的“拗”就是这个意思。所以，“拗句”是说在这些诗句中，该用平声的地方没有用平声，该用仄声的地方没有用仄声，所以显得不够顺畅。在这首诗中，第七句就是“拗句”。

一般来说，出现“拗句”的时候，诗人往往会进行“补救”，这种做法就叫“拗救”。在王勃的这首诗中，诗人已经补救过了。在后面的内容中，我们会讲到“拗救”的各种方法。

联句对仗

流水对

所谓流水对，是指同一联的出句和对句，虽然在形式上可能相对，但在语意上是连贯的。它们不可分割，也不可以调换顺序，如同流水从上游流到下游一样，所以叫“流水对”。

如果我们把“流水对”的两句拆开来看，每句意义都是不够完整的。

比如，王之涣的《登鹳雀楼》中“欲穷千里目，更上一层楼”就是“流水对”。再比如白居易的《赋得古原草送别》中“野火烧不尽，春风吹又生”也是同样的对仗手法。王维的《送梓州李使君》中“山中一夜雨，树杪百重泉”也是流水对，因为上下两句之间有因果关系。

再如，杜甫的《闻官军收河南河北》中有“即从巴峡穿巫峡，便下襄阳向洛阳”，它们是典型的“流水对”，只有先从“巴峡到达巫峡”，才能从“襄阳抵达洛阳”。

延伸阅读

访戴天山道士不遇

（唐） 李白

犬吠水声中，桃花带露浓。树深时见鹿，溪午不闻钟。

｜｜｜——，——｜｜—。｜——｜｜，—｜｜——。

野竹分青霭，飞泉挂碧峰。无人知所去，愁倚两三松。

｜｜——｜，——｜｜—。———｜｜，—｜｜——。

［注］“竹”是入声字。

观　猎

（唐） 王维

风劲角弓鸣，将军猎渭城。草枯鹰眼疾，雪尽马蹄轻。

—｜｜——，——｜｜—。｜——｜｜，｜｜｜——。

忽过新丰市，还归细柳营。回看射雕处，千里暮云平。

｜｜——｜，——｜｜—。——｜—｜，—｜｜——。

［注］“角”、“疾”、“忽”是入声字，“看”字可以有平仄两读，此处应该读平声。另外，请注意第七句，它是“拗句”。

思考讨论

我们来看四句诗：“行到水穷处，坐看云起时。”“忽逢青鸟使，邀入赤松家。”“露从今夜白，月是故乡明。”“浮云一别后，流水十年间。”其中有一句不是“流水对”，你能找出是哪一句吗？

山居秋暝[1]

（唐） 王维

空山[2]新[3]雨后，天气晚来秋。
明月松间照，清泉石上流[4]。
竹喧[5]归浣女[6]，莲动[7]下[8]渔舟。
随意春芳歇[9]，王孙自可留[10]。

注释

[1]暝：日暮、黄昏。 [2]空山：空寂、空旷的山中。 [3]新：雨本没有“新旧”之分，这里的“新”是“新近、刚刚”的意思。 [4]明月松间照，清泉石上流：这两句话的语义结构是“明月照在松间，清泉流在石上”，描写雨后的景色。 [5]竹喧：竹林中传来笑语喧哗声。 [6]浣（huàn）女：“浣”是指“洗”，“浣衣”就是“洗衣”，所以“浣女”是指“洗衣服的女子”。

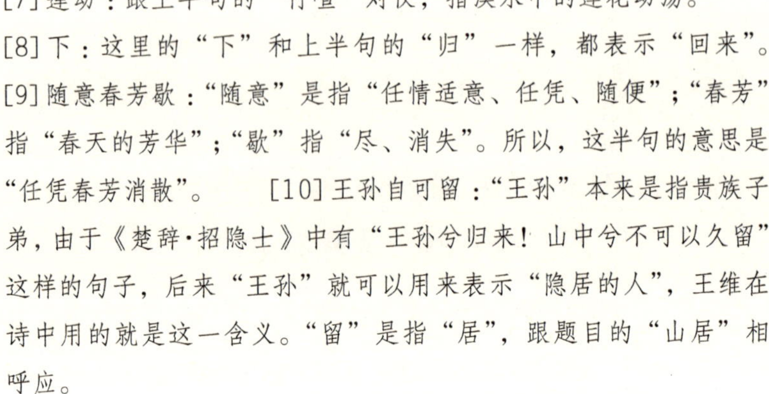
[7] 莲动：跟上半句的“竹喧”对仗，指溪水中的莲花动荡。
[8] 下：这里的“下”和上半句的“归”一样，都表示“回来”。
[9] 随意春芳歇：“随意”是指“任情适意、任凭、随便”；“春芳”指“春天的芳华”；“歇”指“尽、消失”。所以，这半句的意思是“任凭春芳消散”。　[10] 王孙自可留：“王孙”本来是指贵族子弟，由于《楚辞·招隐士》中有“王孙兮归来！山中兮不可以久留”这样的句子，后来“王孙”就可以用来表示“隐居的人”，王维在诗中用的就是这一含义。“留”是指“居”，跟题目的“山居”相呼应。

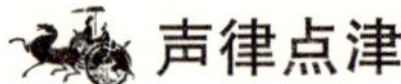

声律点津

一三五不论，二四六分明

我们先来为王维的《山居秋暝》标出平仄：

空山新雨后，天气晚来秋。明月松间照，清泉石上流。

———｜｜，—｜｜——。—｜——｜，——｜｜—。

竹喧归浣女，莲动下渔舟。随意春芳歇，王孙自可留。

｜——｜｜，—｜｜——。—｜——｜，——｜｜—。

诗中的“石”、“竹”、“歇”都是入声字。

现在我们来看五律“平起仄收”式诗歌的格律要求：

（平）平平仄仄，（仄）仄仄平平。（仄）仄平平仄，平平（仄）仄平。

（平）平平仄仄，（仄）仄仄平平。（仄）仄平平仄，平平（仄）仄平。

通过对比我们会发现，《山居秋暝》是符合格律要求的。不过，在写律诗的时候，考虑到表达需要，不是每一句诗的平仄都会非常工整。那该怎么办呢？

由于近代格律诗的特点之一是“双音步”，重点落在第二个读音上。所以，在无法满足平仄要求时，我们可以牺牲掉一些不太重要的单数字，确保比较重要的偶数字以及最重要的最后一个字。因此，在讲诗词格律时，会有一句口诀，叫“一三五不论，二四六分明”。也就是说，第一、三、五（这里指“七言”）个字的平仄可以比较灵活地处理，而第二、四、六个字，以及每句最后一个字的平仄，要必须严格遵守格律要求。不过，这句口诀虽然简单明了容易记住，但描述得不够准确，对五言诗尤其如此，对此我们要引起注意。

联句对仗

错综对

在古典诗歌的对仗中，如果出句的词语和对句的词语原本可以相对，但却没有在同一个位置，而是“错综”放置的，这种情形就叫错综对。它也叫“交错对”、“交互对”、“交股对”、“磋对”、“犄角对”，属于“宽对”的范畴。

在判断某两句的对仗是不是“错综对”时，我们要注意，它们“原本”是可以形成工整对仗的，只是“故意”不放在对应的位置上罢了。

我们来看一个例子，中唐有一位诗人叫李群玉，他在《杜丞相筵中赠美人》一诗中有这样两句：“裙拖六幅湘江水，髻挽巫山一段云。”这里的“六幅”与“一段”可以对仗，“湘江”与“巫山”也可以对仗。但它们却没有形成工整的对仗，这就是一句典型的“错综对”。

那么，古人为什么要使用这一对仗手法呢？为什么不使用“工对”呢？一般来说，由于格律诗对平仄的要求比对仗更为严格，所以，当作诗时选用词语的平仄与格律要求的平仄发生矛盾时，古人可以用这种方式进行补救，免得在平仄上犯错。当然，有时候使用这种交错相对的方式，不仅仅是因为平仄，也是为了文理的通顺。

延伸阅读

赋得古原草送别

（唐） 白居易

离离原上草，一岁一枯荣。野火烧不尽，春风吹又生。

———｜｜，｜｜｜——。｜｜—｜｜，———｜—。

远芳侵古道，晴翠接荒城。又送王孙去，萋萋满别情。

｜——｜｜，—｜｜——。｜｜——｜，——｜｜—。

［注］“一”、“不”、“接”都是入声字。

登岳阳楼

（唐） 杜甫

昔闻洞庭水，今上岳阳楼。吴楚东南坼，乾坤日夜浮。

｜—｜—｜，—｜｜——。—｜——｜，——｜｜—。

亲朋无一字，老病有孤舟。戎马关山北，凭轩涕泗流。

———｜｜，｜｜｜——。—｜——｜，——｜｜—。

［注］“昔”、“一”、“北”是入声字。

思考讨论

在“延伸阅读”的两首诗中，每一首都各自有一句“拗句”，你能找出来分别是哪一句吗？

晚　晴

（唐）李商隐

深居[1]俯[2]夹城[3]，春去夏犹清[4]。
天意怜幽草[5]，人间重[6]晚晴。
并添高阁[7]迥[8]，微注[9]小窗明。
越鸟[10]巢干后，归飞体更轻。

注释

[1]深居：幽居，不跟外界接触。有一个词语叫“深居简出”，其中的“深居”就是这一含义。　[2]俯：“俯”与“仰”相反，指的是“低头”，在这里指“俯视、俯瞰”。　[3]夹城：是指城门外两边筑有高墙的通道。　[4]清：清越、清朗。由于是初夏光景，而且还是傍晚，天气并不炎热，有清朗的感觉。　[5]幽草：幽深、幽暗地方的草丛。唐朝诗人韦应物在《滁州西涧》一诗中有“独怜幽草涧边生，上有黄鹂深树鸣”的句子。　[6]重（zhòng）：珍惜、重视。律诗的这一联是要求严格对仗的，上半句说“上天也垂怜幽草”，下半句则是“人间也珍视晚晴”。　[7]高阁：在这里指诗人居处的楼阁。　[8]迥：高、高远。有一个词语叫“迥空”，意思就是“高旷的天空”。　[9]微注：“注”可以表示“照

射”，比如，清代人许光治在《上小楼·雪霁》曲中有：“寒光满雾，晴晖载露，霁雪晶莹，朝阳四注，不数蓬壶”的句子，这里的“注”就是“光线的照射”。由于是“晚晴”，所以夕阳的余晖微弱柔和，因此叫“微注”。 [10]越鸟：南方的鸟。《古诗十九首》中有《行行重行行》，里面有“胡马依北风，越鸟巢南枝”，李善为它做注释说：“代马依北风，飞鸟栖故巢。皆不忘本之谓也。”后来“越鸟”这一意象多用来表示思念故乡或故国。

声律点津

“一三五不论，二四六分明”的例外

在李商隐的《晚晴》中，“夹”、“阁”是入声字，因此全诗的平仄如下：

深居俯夹城，春去夏犹清。天意怜幽草，人间重晚晴。

——｜｜—，—｜｜——。—｜——｜，——｜｜—。

并添高阁迥，微注小窗明。越鸟巢干后，归飞体更轻。

｜——｜｜，—｜｜——。｜｜——｜，——｜｜—。

这是一首“平起平收”式的诗歌，五律“平起平收”式的格律要求如下：

平平（仄）仄平，（仄）仄仄平平。（仄）仄平平仄，平平（仄）仄平。

（平）平平仄仄，（仄）仄仄平平。（仄）仄平平仄，平平（仄）仄平。

显然，这是一首格律工整的五律。但前面我们已经讲过，有时候格律与内容难以兼顾时，可以“一三五不论，二四六分明”。不过，这句口诀有一些例外需要注意。

首先，对于五律来说，应该是“一三不论，二四分明”。而且，在五言“平平仄仄平”的格式中，第一个字不能不论；在七言“仄仄平平仄仄平”这一格式中，第三个字不能不论。否则会犯一些格律上的禁忌。

其次，“二四六分明”也不完全正确。五言的第四个字、七言的第六个字，是可以“不分明”的。比如，“仄仄平平仄”这一格式也可以换成“仄仄平仄仄”，只需要在对句中进行补偿就可以。

总之，“一三五不论，二四六分明”这一原则，应该和后面即将讲到的“拗救”等规定一起使用，才能创作出符合格律要求的近体诗来。

联句对仗

合掌对

所谓合掌对，其实不是一种值得提倡的对仗技巧，而是在对仗中应该着力避免的一种毛病。

在一首诗中，如果出句与对句所用的词语基本同义，甚至完全同义，那么这上下两句的意思，就好像是我们的左右手掌一样雷同。它们放在一起，就像是两只手掌合在一起，因此被称为“合掌”。

南朝著名文学理论家刘勰在《文心雕龙》中，称这种对仗为“正对”，是一种技巧拙劣的对仗。他说：“故丽辞之体，凡有四对。言对为易，事对为难；反对为优，正对为劣。”

比如，初唐时期的著名诗人宋之问有一首《初到黄梅》诗，里面有两句：“马上逢寒食，途中属暮春。”清代著名学者纪晓岚在《瀛奎律髓刊误》中评论说：“途中、马上，暮春、寒食，未免合掌。”他这样说是因为，“途中”和“马上”在这两句诗里表达的是同一个意思，而“寒食”就在“暮春”。所以，用两句诗分别表达了同一件事、同一个意思，也就是“合掌”了。

延伸阅读

风　雨

（唐）李商隐

凄凉宝剑篇，羁泊欲穷年。黄叶仍风雨，青楼自管弦。

——｜｜—，—｜｜——。—｜——｜，——｜｜—。

新知遭薄俗，旧好隔良缘。心断新丰酒，消愁斗几千。

———｜｜，｜｜｜——。—｜——｜，——｜｜—。

［注］“泊”、“薄”、“隔”都是入声字。

送赵都督赴代州

（唐）王维

天官动将星，汉地柳条青。万里鸣刁斗，三军出井陉。

——｜｜—，｜｜｜——。｜｜——｜，——｜｜—。

忘身辞凤阙，报国取龙庭。岂学书生辈，窗间老一经！

｜——｜｜，｜｜｜——。｜｜——｜，——｜｜—。

［注］“出”、“国”、“学”、“一”都是入声字。

思考讨论

根据我们学过的关于对仗的知识，判断“请看石上藤萝月，已映洲前芦荻花”这句诗使用了哪种对仗形式？是借对、自对，还是流水对、错综对？

第四章　七言律诗

和五言律诗一样，七言律诗也是起源于南北朝，成熟于初唐。每首七言律诗也有八句，只是每句诗有七个字，所以，一首七律共五十六个字。它也和五律一样，偶数句押平声韵，而且要一韵到底，中间不可以换韵。至于第一句，可以押韵，也可以不押韵。

七律也可以分为平起和仄起两种体例，每种又可以分为正格和偏格两种。它的四种基本句式如下：

1.（平）平（仄）仄平平仄；2.（平）平（仄）仄仄平平。

3.（仄）仄平平仄仄平；　　4.（仄）仄（平）平平仄仄。

这四种基本句式是七律平仄格式变化的基础，使用它们作为材料，就可以得出七律的四种基本格式。

闻[1]官军[2]收河南河北

（唐）杜甫

剑外[3]忽传收蓟北[4]，初闻[5]涕[6]泪满衣裳。
却看[7]妻子[8]愁何在[9]？漫卷[10]诗书喜欲狂[11]！
白日[12]放歌[13]须纵酒[14]，青春[15]作伴好还乡。
即[16]从巴峡穿巫峡，便[17]下襄阳向洛阳。

注释

[1]闻：听到、听说。杜甫在《赠花卿》诗中写道："此曲只应天上有，人间能得几回闻。"其中的"闻"也是同样的意思。
[2]官军：指唐王朝的军队。 [3]剑外：剑门关以外，这里指的是四川。当时杜甫在梓州(今天的四川三台)。唐代人习惯把"剑南"称作"剑外",把"湖南"称为"湖外",把"岭南"称为"岭外",都是习惯用语。 [4]蓟北：泛指唐代幽州、蓟州一带，今河北北部地区，是安禄山、史思明叛军的根据地。 [5]初闻："初"表示"方才、刚刚"。"初闻"表示"刚一听到"。 [6]涕：这里的"涕"不是"鼻涕",而是"眼泪"。 [7]却看:再看。"却"在这里是副词，表示"还、再"。李商隐在《夜雨寄北》中有"何当共剪西窗烛，却话巴山夜雨时",里面的"却"表示同样的意思。
[8]妻子：古代的"妻子"往往是指两个词语，"妻子和孩子"。
[9]何在：表示"在何处，在哪里"。比如，杜甫在《哀江头》诗中

写道："明眸皓齿今何在？血污游魂归不得。" [10] 漫卷：胡乱地卷起。 [11] 喜欲狂：高兴得简直要发狂。"欲"表示"将要"，表示一种欣喜若狂的心情。 [12] 白日：可以表示"时间、光阴"，比如，三国时魏国的阮籍在《咏怀》之六中有这样的句子："娱乐未终极，白日忽蹉跎。"在这里，"白日"尤指美好的时光。 [13] 放歌：放声歌唱。 [14] 须纵酒："须"表示"应当"，"纵酒"表示"开怀痛饮"。 [15] 青春：明丽的春天。由于心情愉悦，春天也变得更加美好。这里的"青春"使用了一种拟人化的表现手法。 [16] 即：即刻、立即。 [17] 便：副词，"即、就"之意。

声律点津

近体诗格律中对平仄的要求

在杜甫的《闻官军收河南河北》中，"忽"、"北"、"白"、"即"、"峡"这五个字是入声字，"看"字有平仄两读，在中古经常用作平声。因此，全诗的平仄可以标注如下：

剑外忽传收蓟北，初闻涕泪满衣裳。

｜｜｜——｜｜，——｜｜｜——。

却看妻子愁何在？漫卷诗书喜欲狂！

｜——｜——｜，｜｜——｜｜—。

白日放歌须纵酒，青春作伴好还乡。

｜｜｜——｜｜，——｜｜｜——。

即从巴峡穿巫峡，便下襄阳向洛阳。

｜——｜——｜，｜｜——｜｜—。

根据七律的四种基本句式，我们可以得出七律"仄起仄收"式的格律要求：

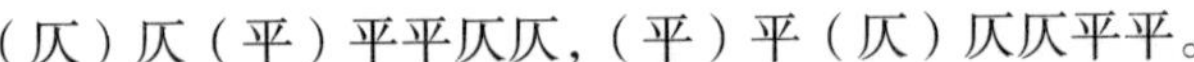

（仄）仄（平）平平仄仄，（平）平（仄）仄仄平平。

（平）平（仄）仄平平仄，（仄）仄平平仄仄平。

（仄）仄（平）平平仄仄，（平）平（仄）仄仄平平

（平）平（仄）仄平平仄，（仄）仄平平仄仄平。

对比之后大家会发现，杜甫这首诗的平仄是很工整的，与格律要求相吻合。现在，我们通过这首诗以及之前学过的内容，总结一下近体诗格律中对平仄的要求：

1. 第二、四、六个字需要平仄交错。也就是说，如果第二个字是仄，那么第四个字必须是平，第六个字必须是仄。反过来，如果第二个字是平，那么第四个字必须是仄，第六个字必须是平。否则，就是“拗句”了。

2. 根据“粘对”中“粘”的要求，在同一联之内，出句第二、四、六字的平仄，与对句第二、四、六字的平仄必须分别相对。也就是说，第一句的第二个字如果是仄，那么第二句的第二个字必须是平。反过来也一样。否则，就是“失对”。

3. 上一联的对句与下一联的出句之间，第二、四、六字的平仄必须相同。比如，第二句（第一联的对句）的第二个字是平，那么第三句（第二联的出句）的第二个字也需要是平。其他的以此类推。否则，就是“失粘”。

4. 在近体诗中，偶数句（第二、四、六、八句）的结尾必须是平声，因为它们都是韵脚字。虽然有些绝句，比如我们熟悉的“锄禾日当午，汗滴禾下土。谁知盘中餐，粒粒皆辛苦”押的是仄声韵，但它属于特例，近体诗一般是押平声韵的。

5. 第一句的最后一个字可平可仄，但如果是平声字，一定要押韵。只是对它的押韵要求不是特别严格，允许押邻韵。其他奇数句（第三、五、七句）的最后一个字必须是仄声。

联句对仗

律诗对仗的正格

我们前面已经讲过了，律诗的“颔联”和“颈联”是要求对仗的，至于“首联”和“尾联”的对仗，并没有严格要求。所以，我们把“颔联、颈联对仗”视为律诗对仗的正格。

在此基础上，前三联对仗（比如杜甫的《登岳阳楼》）、后三联对仗（比如杜甫的《闻官军收河南河北》），或者四联全都对仗（比如杜甫的《登高》），都是完全符合要求的。不过，根据唐人诗歌的实际情况来看，在这三种类型中，“首联、颔联和颈联都对仗”的作品数量比重最大。在《唐诗三百首》中，80 首五律，有 42 首是“颔联、颈联对仗”的，有 28 首是“首联、颔联和颈联都对仗”的；54 首七律，有 38 首是“颔联、颈联对仗”的，有 11 首是“首联、颔联和颈联都对仗”的。从统计数据我们可以看到，前三联都对仗的作品为数不少，所以它和“颔联、颈联对仗”一样，是很多诗人喜欢或者常用的格式。

延伸阅读

咏怀古迹（其五）

（唐） 杜甫

诸葛大名垂宇宙，宗臣遗像肃清高。
—｜｜——｜｜，———｜｜——。
三分割据纡筹策，万古云霄一羽毛。
———｜——｜，｜｜——｜｜—。
伯仲之间见伊吕，指挥若定失萧曹。
｜｜——｜—｜，｜—｜｜｜——。

运移汉祚终难复，志决身歼军务劳。

丨－丨丨－－丨，丨丨－－－丨－。

［注］“伯”、“失”、“决”是入声字。

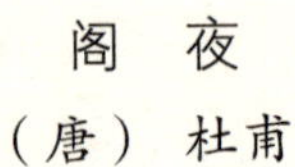

阁　夜

（唐）杜甫

岁暮阴阳催短景，天涯霜雪霁寒宵。

丨丨－－－丨丨，－－－丨丨－－。

五更鼓角声悲壮，三峡星河影动摇。

丨－丨丨－－丨，－丨－－丨丨－。

野哭千家闻战伐，夷歌数处起渔樵。

丨丨－－－丨丨，－－丨丨丨－－。

卧龙跃马终黄土，人事音书漫寂寥。

丨－丨丨－－丨，－丨－－丨丨－。

［注］“峡”、“哭”是入声字。

思考讨论

在律诗的四联中，对于对仗要求最为严格的是哪一联或哪几联呢？

蜀相[1]

（唐）杜甫

丞相祠堂[2]何处寻？锦官城[3]外柏森森[4]。
映阶碧草自春色[5]，隔叶黄鹂空好音[6]。
三顾频烦[7]天下计，两朝开济[8]老臣心。
出师[9]未捷身先死，长使英雄泪满襟[10]。

注释

[1]蜀相：指三国时期蜀国的丞相诸葛亮。　[2]丞相祠堂：指诸葛亮的祠堂，也就是今天四川成都的武侯祠，最初由晋代的李雄兴建。　[3]锦官城：也就是成都，也可以简称为“锦城”。三国时期，成都的蜀锦非常有名，是蜀国财政收入的重要来源，所以蜀汉曾经设立锦官，并且建立锦官城来保障蜀锦的生产，成都因此得名“锦官城”。　[4]柏森森：“森森”可以表示树木繁密的样子，所以“柏森森”表示“柏树茂盛繁密的样子”。

[5]映阶碧草自春色：这句话是说，碧绿的芳草映照着台阶，不过是自为春色，这里的“自”与下半句的“空”都含有作者的主观情感。

[6] 隔叶黄鹂空好音：隔着繁密的叶子，黄鹂白白在歌唱（因为作者无心倾听）。“空”在这里用作副词，表示“徒然、白白地”。

[7] 三顾频烦：“三顾”是指“刘备三顾茅庐请诸葛亮”的故事。频烦，相当于“频繁”，指“多次”。 [8] 两朝开济：“开”指“开创”，“济”指“扶助”。是说诸葛亮帮助刘备开创了帝业，然后又辅佐刘禅，为父子两朝都建立了不朽功勋。 [9] 出师：出兵、率兵征讨。诸葛亮有一篇《出师表》，就是在出兵讨伐魏国临行之前，写给后主刘禅的奏章。 [10] 襟：衣襟，衣服的胸前部分。

声律点津

避免“下三平”与“犯孤平”

在杜甫的《蜀相》中，“隔”与“出”是入声字，因此其平仄可标注如下：

丞相祠堂[何]处寻，锦官城外柏森森。

—丨———丨—，丨——丨丨——。

映阶碧草[自]春色，隔叶黄鹂[空]好音。

丨—丨丨丨—丨，丨丨———丨—。

三顾频烦天下计，两朝开济老臣心。

—丨———丨丨，丨——丨丨——。

出师未捷身先死，长使英雄泪满襟。

丨—丨丨——丨，—丨——丨丨—。

根据七律的四种基本句式，大家可以推导出下面这个“仄起平收”式的格律要求：

（仄）仄平平仄仄平，（平）平（仄）仄仄平平。

（平）平（仄）仄平平仄，（仄）仄平平仄仄平。

（仄）仄（平）平平仄仄，（平）平（仄）仄仄平平。

（平）平（仄）仄平平仄，（仄）仄平平仄仄平。

对比之后我们会发现，诗中加方框的字，其平仄和格律要求是不相符合的。不过我们可能也注意到了，这些字都是第五个字，根据"一三五不论"的说法，它们的平仄是相对比较灵活的。虽然如此，第一、三、五字也不可以过于灵活，我们必须保证，每句的最后三个字不能是平平平或者仄仄仄，否则这就是"下三平"（也叫"三平尾"）或者"下三仄"。至于"下三仄"，还可以"拗救"。而"下三平"，在律诗中是绝对禁止的。

平声字太多了不可以，太少也不行。如果某一句是以平声收尾的，全句除了韵脚之外只有一个平声字，就叫做"犯孤平"。这是格律诗中的大忌。

我们可以看到，杜甫这首《蜀相》虽然没有特别严格地遵守格律，但也没有犯我们刚刚所说的禁忌。整体上，全诗各句的平声字与仄声字大体保持了平衡。

联句对仗

蜂腰体

由于对仗是律诗有别于绝句的重要标志，所以律诗要求"颔联"与"颈联"对仗。尤其是颈联，是必须对仗的，而且要是工对。

所谓蜂腰体，是说在律诗中，只有"颈联"一联对仗。之所以叫它"蜂腰"，是因为本该对仗的"颔联"没有对仗，因此整首诗显得"腰部"细瘦了一点。

在古人的律诗中，五律出现蜂腰体的情形稍多一点，七律极少出现。下面我们来看一个例子。

李白的《塞下曲》（第一首）全诗如下：

五月天山雪，无花只有寒。笛中闻折柳，春色未曾看。

晓战随金鼓，宵眠抱玉鞍。愿将腰下剑，直为斩楼兰。

显然，全诗只有第三联（颈联）对仗，所以这就是蜂腰体。它只是一种例外。

延伸阅读

锦　瑟

（唐）李商隐

锦瑟无端五十弦，一弦一柱思华年。

丨丨——丨丨—，丨—丨丨———。

庄生晓梦迷蝴蝶，望帝春心托杜鹃。

——丨丨——丨，丨丨——丨丨—。

沧海月明珠有泪，蓝田日暖玉生烟。

—丨丨——丨丨，——丨丨丨——。

此情可待成追忆，只是当时已惘然。

丨—丨丨——丨，丨丨——丨丨—。

［注］“思”字可平可仄，“托”和“忆”是入声字。

书　愤

（宋）陆游

早岁那知世事艰？中原北望气如山。

丨丨丨—丨丨—，——丨丨丨——。

楼船夜雪瓜州渡，铁马秋风大散关。

——丨丨——丨，丨丨——丨丨—。

塞上长城空自许，镜中衰鬓已先斑。

丨丨———丨丨，丨——丨丨——。

出师一表真名世，千载谁堪伯仲间？

丨—丨丨——丨，—丨——丨丨—。

［注］“世”、“北”、“出”、“一”都是入声字。

思考讨论

请大家根据我们刚刚学过的知识，判断一下，下面哪句可以称为“孤平”：仄仄平仄仄、仄平仄仄仄、仄平仄仄平。

酬[1]乐天[2]扬州初逢席上见赠[3]

（唐）刘禹锡

巴山楚水[4]凄凉地，二十三年[5]弃置身[6]。
怀旧[7]空吟[8]闻笛赋[9]，到乡翻似[10]烂柯人[11]。
沉舟侧畔千帆过[12]，病树前头万木春[13]。
今日听君歌一曲[14]，暂凭杯酒长[15]精神。

注释

［1］酬：答谢、酬答、酬谢。这里是指用诗歌来赠答对方。［2］乐天：指白居易，字乐天。　［3］见赠：赠送给我。比如，

清代的孔尚任在《桃花扇·骂筵》中有一句话是这样写的:“这是画友蓝瑛新来见赠的。” [4]巴山楚水:“巴”是指四川,因为古时候四川东部属于巴国;“楚”指湖北和湖南北部,古时候这些地区属于楚国。由于刘禹锡曾经被贬到包括湖南、四川、安徽、广东在内的地方做官,所以说是“巴山楚水”。 [5]二十三年:刘禹锡写这首诗是唐敬宗宝历二年(826)在扬州与白居易相逢时。那时候,距离唐顺宗永贞元年(805)刘禹锡被贬为连州刺史,已经二十二个年头了。由于次年自己才能返回京城,所以是二十三年。[6]弃置身:“弃置”是指丢弃不用。诗人在这里用“弃置身”指代遭受贬谪的自己。 [7]怀旧:怀念旧友、怀念故人。[8]空吟:“空”是副词,表示“白白地”。“空吟”也就是“白白地吟唱”。 [9]闻笛赋:指向秀的《思旧赋》。这是一个典故。三国时期,曹魏末年,向秀的朋友嵇康、吕安因为不满司马氏篡权被杀害。传说,有一次向秀经过嵇康、吕安的旧居,听到邻人在吹笛,不禁勾起了对亡友的思念。因此创作了《思旧赋》这篇文章。 [10]翻似:“翻”在这里是副词,反而。“翻似”表示“反而像是、倒好像是”。 [11]烂柯人:这是一个典故。传说,晋代人王质上山砍柴,看到两个童子下棋,就在旁边观看。等到棋局结束,他发现自己手中的“柯”(斧子的柄)已经朽烂掉了。等他回到村里,才发现物是人非,已经过去一百年了,和自己同一时代的人都已经亡故。诗人在这里使用这一典故,想要表达的是自己经过二十三年的贬谪,再次回到京城,也已经是历经世间沧桑,人事全非、恍若隔世了。 [12]沉舟侧畔千帆过:“侧畔”表示旁边。“沉舟侧畔千帆过”是说“在沉没的船只旁边,依然千帆竞发”。 [13]病树前头万木春:枯败的病树前面,依然有万木在争春。 [14]歌一曲:白居易和刘禹锡在扬州刚刚见面时,白居易写了一首《醉赠刘二十八使君》送给刘禹锡。这里的“歌一曲”指的就是白居易的《醉赠刘二十八使君》。　[15] 长：意思是“增长、振作、振奋”。

声律点津

格律诗的“拗救”

刘禹锡的这首《酬乐天扬州初逢席上见赠》中，“十”、“笛”、“一”、“曲”都是入声字。所以，其平仄格律如下所示：

巴山蜀水凄凉地，二十三年弃置身。

——||——|，||——||—。

怀旧空吟闻笛赋，到乡翻似烂柯人。

—|———||，|——||——。

沉舟侧畔千帆过，病树前头万木春。

——||——|，||——||—。

今日听君歌一曲，暂凭杯酒长精神。

—|———||，|——||——。

至于七律“平起仄收”式的格律要求，则是这样的：

（平）平（仄）仄平平仄，（仄）仄平平仄仄平。

（仄）仄（平）平平仄仄，（平）平（仄）仄仄平平。

（平）平（仄）仄平平仄，（仄）仄平平仄仄平。

（仄）仄（平）平平仄仄，（平）平（仄）仄仄平平。

我们可以看到，这首诗的格律是很工整的。没有出现“拗句”，所以也不需要“拗救”。不过，并不是所有律诗都会有如此严整的格律。因此，掌握关于“拗句”和“拗救”的知识还是很有必要的。

我们已经知道，从广义上来说，在律诗中，只要是不合平仄格

式的句子，都叫“拗句”。不过“拗句”也可以分为“大拗”与“小拗”。所谓“小拗”,是指第三、五个字的位置发生平仄格式的变化（第一个字往往是可平可仄的）。由于诗律对这些奇数字位置的平仄要求不太严格，所以叫“小拗”。至于“大拗”，自然是指第四、六个字位置上发生的平仄变化（第二个字一般不可以出现“拗”的现象）。

出现了“拗句”之后，我们要进行“补救”，也就是“拗救”。比如，如果收平声韵的句子“仄仄平平仄仄平”变成了“仄仄仄平仄仄平”，这就是犯了“孤平”，我们知道这是一种禁忌，因此这时候要“补救”，也就是把“仄仄仄平仄仄平”变成“仄仄仄平平仄平”。也就是说，把那个孤平后面的仄声字变成平声，这样一来，就避免了触犯“孤平”的禁忌，就算补救成功，也就合律了。

联句对仗

偷春格

我们已经知道了，律诗要求的是“颔联”与“颈联”对仗。假如“颔联”没有对仗，只有“颈联”对仗了，叫“蜂腰体”。但假如“颔联”没有对仗,“首联”和“颈联”对仗了,就叫“偷春格”。

之所以有这样一个饶有趣味的名字,是因为“首联”代替“颔联”对仗了，如同“梅花偷春色而先开也”。本来应该是“颔联”在春天绽放的，但“首联”提前在春天怒放，出现了“偷春”的情形。

比如，我们来看王勃的《送杜少府之任蜀州》:

城阙辅三秦，风烟望五津。与君离别意，同是宦游人。

海内存知己，天涯若比邻。无为在歧路，儿女共沾巾。

显然，第二联没有对仗，对仗的是第一联和第三联，正是“偷春格”的典型。

延伸阅读

客 至

（唐） 杜甫

舍南舍北皆春水，但见群鸥日日来。
丨—丨丨——丨，丨丨——丨丨—。
花径不曾缘客扫，蓬门今始为君开。
—丨丨——丨丨，———丨丨——。
盘飧市远无兼味，樽酒家贫只旧醅。
——丨丨——丨，—丨——丨丨—。
肯与邻翁相对饮，隔篱呼取尽余杯。
丨丨———丨丨，丨——丨丨——。

［注］“北”、“隔” 是入声字。

和子由渑池怀旧

（宋） 苏轼

人生到处知何似？应似飞鸿踏雪泥。
——丨丨——丨，—丨——丨丨—。
泥上偶然留指爪，鸿飞那复计东西？
—丨丨——丨丨，——丨丨丨——。
老僧已死成新塔，坏壁无由见旧题。
丨—丨丨——丨，丨丨——丨丨—。
往日崎岖还记否？路长人困蹇驴嘶。
丨丨———丨丨，丨——丨丨——。

［注］“塔” 是入声字。

思考讨论

根据我们所学的格律知识，试着判断以下格律中，严格不允许出现的是哪一个：

三仄脚；孤仄；首句用邻韵；三平调。

登金陵凤凰台[1]

（唐）李白

凤凰台上凤凰游，凤去台空江自流。
吴宫[2]花草埋幽径，晋代[3]衣冠[4]成古丘[5]。
三山[6]半落[7]青天外，一水[8]中分白鹭洲[9]。
总为浮云能蔽日[10]，长安不见使人愁。

注释

[1] 凤凰台：凤凰台在金陵（今南京）凤凰山上，相传南朝刘宋永嘉年间有凤凰聚集在这座山上，于是在这里修筑了台，山和台也由此得名。 [2] 吴宫：三国时期的吴国，曾经建都金陵，在此修建宫殿。 [3] 晋代：这里的“晋代”是指东晋，南渡之后也曾经在金陵建都。 [4] 衣冠：不是指衣服帽子，而是用来代称缙绅、士大夫，也就是高官贵族。 [5] 成古丘：“丘”除了表示“丘壑、土坡”，还常常用来表示“坟墓”。诗人是说，当初的那些达官显贵，现在也已化为尘土。 [6] 三山：“三山”不是三座山，而是一座山的名字。它在南京西南的长江边上。由于三峰并列，南北相连，所以得到了 个这样的名字。 [7] 半落：用来形容三山有一半被云遮住。 [8] 一水：也写作“二水”。由于秦淮河流经南京后，西入长江，被横截其间的白鹭洲分为二支，所以不管是“一水”还是“二水”，都可以表达同一个意思。 [9] 白鹭洲：古时候长江中的一个沙洲，在今天的南京市东南。由于传说洲上总是聚集很多白鹭，因此得名。现在，它已经和陆地相连了。

[10] 浮云能蔽日：汉代的陆贾在《新语·察征》中写道：“邪臣之蔽贤，犹浮云之障日月也。”所以“浮云蔽日”往往用来比喻“谗臣当道，奸邪遮蔽贤良”。

声律点津

“拗救”的方式

李白的这首《登金陵凤凰台》中，“一”和“白”都是我们熟悉的入声字。它的平仄标注之后是这样的：

凤凰台上凤凰游，凤去台空江自流。

丨——丨丨——，丨丨———丨—。

吴宫花草埋幽径，晋代衣冠成古丘。

———丨——丨，丨丨———丨—。

三山半落青天外，一水中分白鹭洲。

——丨丨——丨，丨丨——丨丨—。

总为浮云能蔽日，长安不见使人愁。

丨丨———丨丨，——丨丨丨——。

“平起平收”式七律的平仄格式如下：

（平）平（仄）仄仄平平，（仄）仄平平仄仄平。

（仄）仄（平）平平仄仄，（平）平（仄）仄仄平平。

（平）平（仄）仄平平仄，（仄）仄平平仄仄平。

（仄）仄（平）平平仄仄，（平）平（仄）仄仄平平。

对比之后我们会发现，加方框的内容是不合平仄格律的。如果说第二句的“江”字还可以用“一三五不论”来解释，那么颔联的两句肯定是“失粘”的。不过，这“失粘”的两句之间，并没有“失对”。因此，这首诗以错综复杂的独特声律，给人留下了深刻印象。这种类型的诗歌，已经不是“拗救”的范围了，我们可以称它为破律的拗体诗。虽然缺陷也是一种美，且对于号称“谪仙人”的李白来说，格律本身不会成为内容的束缚。但我们既然要学习诗词格律，还是应该尽量严格遵守规定。如果出现了“拗句”，就要想方设法进行“拗救”。

一般来说，“拗救”的方法可分为两种：一种是本句自救，一种是对句补救。

我们先来看本句自救。比如，“平平平仄仄”以仄声收尾，所以肯定是出句，它的格式可以变成“平平仄平仄”。也就是说，本来第三个字的位置应该是“平”，但是却用了“仄”，那么要在第四个字的位置上补上一个“平”，这叫做“三拗四救”。这是五律的句式，如果是七律，也是同样道理，叫做“五拗六救”。这些“拗救”的方法就是“本句自救”。通过这种“自救”，这句诗也就合律了。比如，杜甫《咏怀古迹》其一的尾联出句是“庾信平生最萧瑟”，它的平仄是“仄仄平平仄平仄”，它用的就是“五拗六救”。

现在我们来看对句补救。假如出句本该是“仄仄平平仄”（七律是“平平仄仄平平仄”），但它“拗”成了“仄仄仄平仄”甚至是“仄仄仄仄仄”，那么本该是“平平仄仄平”的对句，可以变成“平平平仄平”（七律是“仄仄平平平仄平”）。也就是说，出句中缺少的平声字，可以通过在对句中增加平声字来进行弥补、补救，这就是“对句救出句”。我们来看一个典型的例子：白居易的《草》中“野火烧不尽，春风吹又生”（平仄格式是“仄仄平仄仄，平平平仄平”），就是用对句的“吹”救了出句的“不”。

联句对仗

长律的对仗

我们知道，律诗是八句的，超过八句的律诗，就叫做“长律”，也叫“排律”。对于长律来说，它的对仗和律诗相同，只有尾联不用对仗，首联可用可不用，其余各联一律要用对仗。我们来看一个简单的例子。

韩愈的《学诸进士作精卫衔石填海》全诗如下：

鸟有偿冤者，终年抱寸诚。口衔山石细，心望海波平。
渺渺功难见，区区命已轻。人皆讥造次，我独赏专精。
岂计休无日，惟应尽此生。何惭刺客传，不著报仇名！

根据我们已有的关于对仗的知识，可以判断出，除了第一联和最后一联，其他各联都是对仗的。所以，想要创作出一首内容、格律都出色的长律，实在不是一件容易的事情。

延伸阅读

钱塘湖春行

（唐） 白居易

孤山寺北古亭西，水面初平云脚低。

——｜｜｜——，｜｜———｜—。

几处早莺争暖树？谁家新燕啄春泥？

｜｜｜——｜｜，———｜｜——。

乱花渐欲迷人眼，浅草才能没马蹄。

｜—｜｜——｜，｜｜——｜｜—。

最爱湖东行不足，绿杨阴里白沙堤。

｜｜———｜｜，｜——｜｜——。

［注］“北”、“啄”、“不”、“足”、“白” 都是入声字。

左迁蓝关示侄孙湘

（唐） 韩愈

一封朝奏九重天，夕贬潮州路八千。

｜——｜｜——，｜｜——｜｜—。

欲为圣明除弊事，肯将衰朽惜残年。

｜｜｜——｜｜，｜——｜｜——。

云横秦岭家何在？雪拥蓝关马不前。

———｜——｜，｜｜——｜｜—。

知汝远来应有意，好收吾骨瘴江边。

—｜｜——｜｜，｜——｜｜——。

［注］“夕”、“八”、“惜”、“不”都是入声字，“应”在这首诗里读平声。

思考讨论

“延伸阅读”部分的两首诗，是否都严格符合格律呢？如果没有，你能找出是哪些字不合规则吗？

第五章　词

从广义上来讲，“词”也是诗的一种。它最初被称为“曲词”或“曲子词”，还可以叫长短句、曲子、曲词、乐章、琴趣、诗余，等等。

“词”是诗与音乐结合的产物。最初，比如初唐的时候，词刚刚出现，和诗的区分还不是特别明显，绝句或律诗配上乐曲，就成了“词”。后来，唐代和五代时期，词的格式发展得越来越多。到了词最兴盛的宋，它和诗的区别也就更加明显，成了一种独立的文体。不过，文人作的词，由于深受律诗影响，所以词中用了很多律句，依然是一种格律化的诗歌形式。

如果说“诗”的黄金时代是唐代，那么“词”的鼎盛时期无疑是宋朝。宋代的词人、词作在数量与质量上都颇为可观，并且形成了婉约派与豪放派这两大流派。

从格律方面来说，“词”与“诗”的区别很大，有自己一套专门的术语和要求。在形式上，词的特点是“调有定格，句有阕”。至于词的写法，可以用一句话简洁概括：按词牌（词的格式的名称）填写。每一种词牌都有自己专门的词谱（词的格式的具体内容），都有自己固定的句数、字数、平仄要求，并在固定的地方押韵。作词的时候，只要按照“词谱”的规定填写即可。每一首词，都必须有词牌名。至于词牌名之下，可以另有题目，也可以没有题目。

如梦令·昨夜雨疏风骤

（宋） 李清照

昨夜雨疏[1]风骤[2]，浓睡[3]不消残酒[4]。试[5]问卷帘人[6]，却[7]道[8]海棠依旧。知否[9]，知否？应是绿肥红瘦[10]。

注释

[1]疏：稀疏。 [2]骤：急速而猛、急促。 [3]浓睡：酣睡、沉睡，形容睡得很沉。 [4]残酒：不是指“残留的酒”，而是“残留的醉、醉意”。 [5]试：试着。因为知道昨夜的风雨，所以担心花朵已经香消玉殒，不忍去看，却又忍不住想知道，于是“试”问。 [6]卷帘人：卷帘的侍女。也有人解释为“意中人”，也就是李清照的丈夫赵明诚。 [7]却：在风雨的肆虐下，诗人相信花朵已经凋零，但听到的答案却是“海棠依旧”，因此用“却”字表示惊讶，对答案感到出乎意料。 [8]道：说。唐代诗人刘

禹锡的《竹枝词》中有“东边日出西边雨，道是无晴还有晴”，里面的“道”就是同样用法。　[9]知否：知道吗？“否”是语末助词，表示询问。比如，毛泽东的《沁园春·长沙》词中有“曾记否？到中流击水，浪遏飞舟”。　[10]绿肥红瘦：绿叶繁茂、红花稀少。用“肥”来形容“绿”叶在雨水之后更加明净肥大，用“瘦”形容“红”花在风吹雨打之后凋零稀少，格外传神。

声律点津

词牌《如梦令》

什么叫词牌呢？它其实就是填词的时候需要使用的格式。在词牌初创的时候，词牌名和词作内容有关，比如白居易的《忆江南》，“江南好，风景旧曾谙”；李白的《忆秦娥》，“箫声咽，秦娥梦断秦楼月”；秦观的《鹊桥仙》，“柔情似水，佳期如梦，忍顾鹊桥归路”……但当词牌确立之后，后人根据格律要求填写时，内容和词牌名就不一定再有联系了，词牌也就纯粹成了填词的格式。

《如梦令》就是词牌名之一，这一名称源自后唐庄宗李存勖所写的《忆仙姿》中最后一句“如梦，如梦，残月落花烟重”。后来，苏轼将原本的“忆仙姿”这个名字改成了“如梦令”，但格律规定并没有改变。这个词牌分单双调（如果某一个词牌只有一段，就叫做“单调”。“双调”是说这一词牌分为上下两段），比如李清照的这首《如梦令》就是“单调”，一共有七句，三十三个字，第一、二、四、六、七句要押仄声韵。第五句和第六句需要是叠句，也就是重复的两句。

它的平仄格律要求如下：

（仄）仄（仄）平平[仄]，（仄）仄（仄）平平[仄]。（仄）仄仄平平，

（仄）仄（仄）平平[仄]。平仄，平[仄]，（叠句）（仄）仄（仄）平平[仄]。

加括号的字表示可以是平声也可以是仄声，加方框的字表示这个位置上的字要押韵。

上面我们列出的是“单调”《如梦令》的格律，如果是“双调”，只需要把“单调”重复一遍即可。也就是说，“双调”的《如梦令》，有六十六个字，上下两阕（如果整首词分为两段，那么上段叫“上阕”，也叫“上片”，下段叫“下阕”，也叫“下片”）各有七句。不过由于双调的不太常见，所以我们也就不再列举了。

联句对仗

词的句子长短

和诗相比，词的句子长短不一，参差不齐，所以叫“长短句”。我们可以看到，词的句子不仅有五个字的、七个字的，还有四个字的、六个字的，一个字的、两个字的，三个字的……总之，从一到十都可以，甚至还有十一个字的长句子。比如，南宋词人陈亮有一首《水调歌头·送章德茂大卿使虏》，下阕的开头是：“尧之都，舜之壤，禹之封，于中应有一个半个耻臣戎！”把三个字的短句子和十一个字的长句子放在一起，给人强烈的冲击力。

我们需要特别注意的是，“词”的句子如何断开的问题。如果大家看到过古书会发现，古人读的书不仅仅是繁体字，不仅仅是从右往左竖版排列的，而且还没有标点符号。所以，我们今天读到的诗词，标点符号都是现代人增添的。也就是说，古人在作词的时候，自己的词如何断句，并没有明确指出。但后人在归纳总结词谱的时候，往往把八个字以上的长句子断开处理。但每一个词牌中的长句子该怎么断，不同的作者会有不同的处理方式。比如，就拿九个字来说，有人会处理成“上三下六”（前半句三个字，后半句六个字），有人会处理成“上五下四”或“上六下三”。所以，对于词谱的规定，我们也不需要太过拘泥。

延伸阅读

如梦令

（宋） 李清照

常记溪亭日暮，沉醉不知归路。兴尽晚回舟，误入藕花深处。争渡，争渡，惊起一滩鸥鹭。

—｜——｜｜，—｜｜——｜。—｜｜——，｜｜｜——｜。—｜，—｜。—｜｜——｜。

如梦令

（宋） 苏轼

为向东坡传语，人在玉堂深处。别后有谁来？雪压小桥无路。归去，归去，江上一犁春雨。

｜｜———｜，—｜｜——｜。｜｜｜——，｜｜｜——｜。—｜，—｜，—｜｜——｜。

［注］“别”和“压”是入声字。

思考讨论

写词时，我们需要依据某种乐谱，它被称为什么？而且每种乐谱都有自己特定的名称，它又叫做什么呢？

浣溪沙·一曲新词酒一杯

（宋）晏殊

一曲新词酒一杯[1]，去年天气旧亭台[2]。夕阳西下几时[3]回？

无可奈何[4]花落去，似曾相识[5]燕归来。小园香径[6]独[7]徘徊[8]。

注释

[1]一曲新词酒一杯："一曲"是指"一首"。由于"词"是需要配合音乐唱的，所以又称为"曲"。"新词"是指刚刚填好的词。"酒一杯"也就是"一杯酒"。这句话是化用白居易的《长安道》："花枝缺入青楼开，艳歌一曲酒一杯。" [2]去年天气旧亭台：去年今天，同样的天气，到过的亭台。"旧"不是指亭台的新旧，而是和"旧相识"中的"旧"语义相同，指"旧时"。这一句是化用五

代诗人郑谷的《和知己秋日伤感》："流水歌声共不回，去年天气旧池台。" [3]几时：什么时候。 [4]无可奈何：没有办法，不得已。"无可奈何"今天依然是个使用频率很高的成语。

[5]似曾相识：好像曾经见过似的。 [6]香径：充满了花草芬芳的小路。 [7]独：副词，独自。 [8]徘徊：来回走动。

声律点津

词牌《浣溪沙》

《浣溪沙》和《蝶恋花》一样，原本都是唐代的教坊（古代专门管音乐舞蹈的机构）曲名。最早的《浣溪沙》是由唐人韩偓所作：

宿醉离愁慢髻鬟，六铢衣薄惹轻寒。慵红闷翠掩青鸾。

罗袜况兼金菡萏，雪肌仍是玉琅玕。骨香腰细更沉檀。

我们可以看到，《浣溪沙》是双调词牌，一共四十二个字，上下两阕字数相同，都是三个七言句。上阕的三句和下阕的后两句都押平声韵。这一词牌句式整齐，音节明快，是宋人经常使用的词牌，因此作品很多，别名也很多。

比如，张泌的词有"露浓香泛小庭花"句，所以叫《小庭花》；韩淲的词有"芍药酴醿满院春"句，所以叫《满院春》。除此之外，还有《东风寒》、《醉木犀》、《霜菊黄》、《广寒枝》、《试香罗》、《清和风》、《怨啼鹃》、《减字浣溪沙》等名字，其实指的都是同一个词牌。

其平仄格律要求如下，加方框的是韵脚字：

（仄）仄（平）平（仄）仄[平]，（平）平（仄）仄仄平[平]。（平）平（仄）仄仄平[平]。

（仄）仄（平）平平仄仄，（平）平（仄）仄仄平[平]。（平）平（仄）仄仄平[平]。

晏殊的这首《浣溪沙》平仄标注如下：

一曲新词酒一杯，去年天气旧亭台。夕阳西下几时回？

｜｜——｜｜—，｜——｜｜——。｜——｜｜——。

无可奈何花落去，似曾相识燕归来。小园香径独徘徊。

—｜｜——｜｜，｜——｜｜——。｜——｜｜——。

词对于平仄要求很严格。需要注意的是，律诗中的“拗救”规则不能随便套用到词中来。词的句子的平仄，每句都要按照词谱的要求来填写。在这首词中，“曲”、“夕”、“独”是入声字，所以我们可以看到，其格律是非常工整的。

除《浣溪沙》之外，还有《摊破浣溪沙》，它也叫《山花子》，与《浣溪沙》不同，但也有密切关系。它是在《浣溪沙》的基础上，上下阕各增三个字，但押韵的位置不变。

联句对仗

《浣溪沙》的对仗

一般来说，由于句子长短不一，所以“词”对于对仗没有过多要求。但在《浣溪沙》这一词牌中，下阕的开始两句，一般是要求对仗的。而且大多数词人也都遵守了。

比如，晏殊的这首《浣溪沙》，下阕前两句是：“无可奈何花落去，似曾相识燕归来。”根据我们之前学过的对仗知识，可以很容易分辨出来，这是一句工整的对仗。他还有很多首《浣溪沙》，下阕头两句有：“一霎好风生翠幕，几回疏雨滴圆荷”、“鬓亸欲迎眉际月，酒红初上脸边霞”、“满目山河空念远，落花风雨更伤春”。

再如李清照也创作了很多首《浣溪沙》，它们的下阕头两句分别有：“玉鸭薰炉闲瑞脑，朱樱斗帐掩流苏”、“一面风情深有韵，半笺娇恨寄幽怀”、“远岫出山催薄暮，细风吹雨弄轻阴”等；秦观的《浣溪沙》下阕头两句是“自在飞花轻似梦，无边丝雨细如愁”；张先的《浣溪沙》，下阕头两句是“花片片飞风弄蝶，柳阴阴下水平桥”，等等。

我们可以看到，这些都是很漂亮的对仗句。正因为词本身对于对仗要求不多，所以一旦某一个词牌的某些句子要求对仗，就需要严格遵守了。

延伸阅读

浣溪沙

（宋） 秦观

漠漠轻寒上小楼，晓阴无赖似穷秋。淡烟流水画屏幽。

丨丨——丨丨—，丨——丨丨——。丨——丨丨——。

自在飞花轻似梦，无边丝雨细如愁。宝帘闲挂小银钩。

丨丨———丨丨，———丨丨——。丨——丨丨——。

浣溪沙

（宋） 李清照

绣面芙蓉一笑开，斜飞宝鸭衬香腮，眼波才动被人猜。

丨丨——丨丨—，——丨丨丨——，丨——丨丨——。

一面风情深有韵，半笺娇恨寄幽怀，月移花影约重来。

丨丨———丨丨，丨——丨丨——，丨——丨丨——。

［注］“鸭”、“约”是入声字。

思考讨论

词的“单调”、“双调”分别代表什么意思？你能猜到“三叠”、“四叠”是什么意思吗？

菩萨蛮·小山重叠金明灭

（唐） 温庭筠

小山重叠[1]金[2]明灭[3]，鬓云[4]欲度[5]香腮雪[6]。懒起画蛾眉[7]，弄妆[8]梳洗迟。

照花前后镜[9]，花面交相映[10]。新帖绣罗襦[11]，双双金鹧鸪[12]。

注释

[1] 小山重叠:屏风上的图案。由于屏风是折叠的，有好几扇，所以说“小山重叠”。 [2] 金：金色的阳光。 [3] 明灭：或明或暗。“金明灭”是说晨曦的阳光或明或灭。 [4] 鬓云:“鬓”指脸旁靠近耳朵的头发。“鬓云”是说像云朵一样的鬓发，形容女子秀发如云。 [5] 欲度:“度”在这里表示“覆盖、遮掩”。“欲度”表示“将掩未掩的样子”，是说鬓角的发丝向脸颊延伸，由浓转淡，如同云影一般。 [6] 香腮雪：其实是“香雪腮”，意思是雪白

的面颊。 [7]蛾眉:由于女子的眉毛细长弯曲,就像蚕蛾的触须,所以称为“蛾眉”。但也有人认为,这里的“蛾眉”是指元和以后一种浓阔的新潮眉妆“蛾翅眉”。 [8]弄妆:梳妆打扮。[9]照花前后镜:对着前镜,又对着后镜,照照新插的花朵。[10]花面交相映:花朵和容颜交相辉映。 [11]新帖绣罗襦:“罗襦”是指丝绸短袄。 [12]双双金鹧鸪:“鹧鸪”是指“罗襦”上绣的图案。最后两句要连起来理解。在绫罗裙襦上,有刚刚贴绣上去的鹧鸪图。当时人们会用金线绣好花样,然后再贴绣在衣服上,叫做“贴金”。

声律点津

词牌《菩萨蛮》

《菩萨蛮》这一词牌名字充满了异国情调,它原来也是唐教坊曲。根据唐朝人苏鄂在《杜阳杂编》中的说法,唐宣宗大中年间(847—859),“女蛮国”派遣使者前来唐朝进贡,这些女子身上披挂着珠宝,头上戴着金冠,梳着高高的发髻,号称“菩萨蛮队”,当时的教坊就因此制成了《菩萨蛮曲》。后来,《菩萨蛮》就变成了词牌名。

这一历史悠久的词牌,有很多词人都曾写过。其中以温庭筠的《菩萨蛮》十四首最为有名,这首“小山重叠金明灭”就是其中之一。

小山重叠金明灭,鬓云欲度香腮雪。懒起画蛾眉,弄妆梳洗迟。

|——|——|,|—||——|。|||——,|——|—。

照花前后镜,花面交相映。新帖绣罗襦,双双金鹧鸪。

|——||,—|——|。—||——,———|—。

“叠”、“帖”是入声字，所以温庭筠的这首《菩萨蛮》是严格符合这一词牌的平仄要求的，我们可以对比一下：

（平）平（仄）仄平平仄，（平）平（仄）仄平平仄。（仄）仄（仄）平平，（仄）平平仄平。

（仄）平平仄仄，（仄）仄（平）平仄。（平）仄仄平平，（平）平（平）仄平。

大家可以看到，显然《菩萨蛮》是一首双调小令（按照字数，我们一般可以将词分为小令、中调和长调三种，五十八字以内的是小令，五十九到九十字是中调，九十一字以上的是长调），共四十四个字，上下阕各四句，由五言和七言组成。

在这一词牌中，需要注意的是押韵与平仄问题。这 词牌共八句词，可以分为四段，每段押不同的韵。上阕后两句与下阕后两句字数、平仄相同。另外，上下阕末句都可改用律句“平平仄仄平”。在平仄交替更换中，情调往往由紧促转为低沉，颇具抑扬顿挫之美。

联句对仗

词的“领字”

在欣赏词的时候，我们需要注意“领字”，这是“词”独有的结构。什么是“领字”呢？它是说，在一句词的开头，有一个字、两个字，甚至是三个字，要在语气上稍微停顿（但不需要加标点符号断开句子），它们在语义上起领起下文的作用，因此叫“领字”。其中，“单字领”数量最多，也最值得注意，它往往被叫做“一字顿”或“一字逗”。

比如：

对长亭晚。（柳永《雨霖铃》）

又酒趁哀弦（周邦彦《兰陵王》）

但目送芳尘去。（贺铸《青玉案》）

怅客里光阴虚掷。（周邦彦《六丑》）

问江路梅花开也未？（程垓《酷相思》）

上面加方框的字，都是“领字”，我们可以体会一下它对下文的引领作用。而且大家可能已经注意到了，这些字不可以独立成为一个句子，因为它们完全独立出来是没有意义的。

根据元代人陆辅之在《词旨》中的统计，词中常用作领字的单字有“任、看、正、待、乍、怕、总、问、爱、奈、似、但、料、想、更、算、况、怅、快、早、尽、嗟、凭、叹、方、将、未、已、应、若、莫、念、甚”等，一共三十三个。但实际不止如此，“且、纵、渐、怎、恁、又、尚、须”等字也都常常用作领字。

延伸阅读

菩萨蛮·书江西造口壁

（宋） 辛弃疾

郁孤台下清江水，中间多少行人泪。西北望长安，可怜无数山。

｜——｜——｜，———｜——｜。—｜｜——，｜——｜—。

青山遮不住，毕竟东流去。江晚正愁余，山深闻鹧鸪。

———｜｜，｜｜——｜。—｜｜——，———｜—。

菩萨蛮

（五代前蜀） 韦庄

人人尽说江南好，游人只合江南老。春水碧于天，画船听雨眠。

——｜｜——｜，——｜｜——｜。—｜｜——，｜——｜—。

垆边人似月，皓腕凝霜雪。未老莫还乡，还乡须断肠。

———｜｜，｜｜——｜。｜｜｜——，———｜—。

思考讨论

请大家总结一下，词中的“领字”大致都是哪些声调？是平声字、上声字还是去声字居多？

卜算子·咏梅

（宋）陆游

驿外[1]断桥[2]边，寂寞[3]开无主[4]。已是黄昏独自愁，更著[5]风和雨。

无意[6]苦争春[7]，一任[8]群芳[9]妒[10]。零落[11]成泥碾[12]作尘，只有香如故[13]。

注释

[1]驿（yì）外：“驿”是指驿站，是古代传递政府文书的人中途更换马匹、休息、住宿的地方。一般都不会设在繁华之所，所以此处“驿外”指荒僻冷清之地。　[2]断桥：残破的桥。

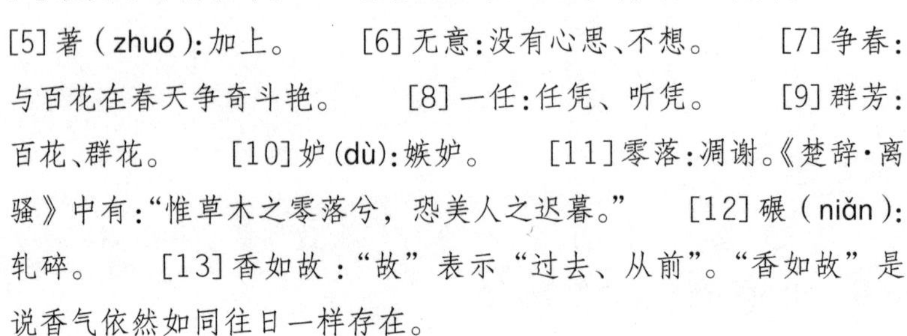

[3] 寂寞：冷清孤单。　[4] 无主：无人过问，无人欣赏。　[5] 著（zhuó）：加上。　[6] 无意：没有心思、不想。　[7] 争春：与百花在春天争奇斗艳。　[8] 一任：任凭、听凭。　[9] 群芳：百花、群花。　[10] 妒（dù）：嫉妒。　[11] 零落：凋谢。《楚辞·离骚》中有："惟草木之零落兮，恐美人之迟暮。"　[12] 碾（niǎn）：轧碎。　[13] 香如故："故"表示"过去、从前"。"香如故"是说香气依然如同往日一样存在。

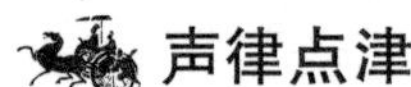

声律点津

词牌《卜算子》

《卜算子》这一词牌是以人名命名的，清代人万树在《词律》中认为它取自"卖卜算命之人"，也有人认为它是借用唐代诗人骆宾王的绰号。由于骆宾王写诗喜欢用数字取名，所以人们称他"卜算子"。和它一样是用人名命名的词牌名，还有《何满子》、《虞美人》等。

由于苏轼的词有"缺月挂疏桐"句，所以《卜算子》又叫《缺月挂疏桐》；由于秦湛词有"极目烟中百尺楼"句，所以它也叫《百尺楼》；僧皎词有"目断楚天遥"句，所以也叫《楚天遥》。这些别名指的其实都是《卜算子》这一词牌。

这是一首双调小令，四十四字，前后阕各四句，二十二字一阕。在偶数句要用仄韵，奇数句的最后一个字需要用平声。它的平仄格律是这样的：

（仄）仄仄平平，（仄）仄平平仄。（仄）仄平平仄仄平，（仄）仄平平仄。

（仄）仄仄平平，（仄）仄平平仄。（仄）仄平平仄仄平，（仄）仄平平仄。

现在，我们来为陆游这首《卜算子》标注平仄，结果如下：

驿外断桥边，寂寞开无主。已是黄昏独自愁，更著风和雨。

丨丨丨——，丨丨——丨。丨丨——丨丨—，丨丨——丨。

无意苦争春，一任群芳妒。零落成泥碾作尘，只有香如故。

—丨丨——，丨丨——丨。—丨——丨丨—，丨丨——丨。

显然，它是符合格律的。

联句对仗

词的对仗特点——可用可不用

与诗相比，词的对仗有很多不同特点。最显著的就是，“词”的对仗可用可不用。也就是说，填词的时候，不像律诗一样有必须使用对仗的规定。因此，哪怕是同一位词人，在使用同一个词牌时，也可以有时用对仗，有时不用。比如，苏轼在一首《水龙吟》的上阕第六、七句中用了对仗：“永昼端居，寸阴虚度。”但在另一首《水龙吟》中写的是“清静无为，坐忘遗照”，没有用对仗。

虽说词是否要用对仗没有特别严格的规定，但一旦某一词牌中规定了某些位置要用对仗，就必须使用对仗。不过，由于词谱是后人总结出来的，所以我们所说的“必须对仗”，只是说在这个位置上，大部分作品用了对仗，所以词谱也就规定这里需要用对仗。

除了“必须对仗”的位置之外，词谱还规定了一些“可以对仗也可以不对仗”的位置，这些位置上的句子，也要尽量使用对仗。

而且，如果开头的两句字数相同，也可以考虑使用对仗；任意位置的上下两句如果字数相同，平仄相反，就可以尽量考虑使用对仗。

延伸阅读

卜算子·黄州定慧院寓居作

（宋） 苏轼

缺月挂疏桐，漏断人初静。谁见幽人独往来？缥缈孤鸿影。

丨丨丨——，丨丨——丨。—丨——丨丨—，—丨——丨。

惊起却回头，有恨无人省。拣尽寒枝不肯栖，寂寞沙洲冷。

—丨丨——，丨丨——丨。丨丨——丨丨—，丨丨——丨。

［注］“缺”、“独”是入声字。

卜算子·送鲍浩然之浙东

（宋） 王观

水是眼波横，山是眉峰聚。欲问行人去那边，眉眼盈盈处。

丨丨丨——，—丨——丨。丨丨——丨丨—，—丨——丨。

才始送春归，又送君归去。若到江南赶上春，千万和春住。

—丨丨——，丨丨——丨。丨丨——丨丨—，—丨——丨。

思考讨论

在《卜算子·咏梅》这首词中，词牌名是什么？词的题目是什么？在词中，题目和词牌名，哪一个是必不可少的？

鹧鸪天·彩袖殷勤捧玉钟

（宋） 晏几道

彩袖[1]殷勤[2]捧玉钟[3]，当年拚却[4]醉颜红[5]。舞低杨柳楼心月，歌尽桃花扇底风[6]。

从别后，忆相逢，几回魂梦与君同[7]。今宵剩[8]把银釭[9]照，犹[10]恐相逢是梦中。

注释

[1]彩袖："彩袖"本来是指"彩衣"，在这里用来借代"穿彩衣的歌女"。　[2]殷勤：这里的"殷勤"并不是热情周到，而是"情谊深厚"的意思。　[3]玉钟：这里的"钟"在繁体汉字中写作"鍾"，意思是"盛酒的器皿"。"玉钟"也就是"名贵的酒杯"。

[4]拚（pàn）却：甘愿、毫无保留。"拚"表示"豁出去；舍弃不顾"；"却"是语气助词，没有实际意义。　[5]醉颜红：醉意醺醺，于是脸

通红。这句是说，想当年，多情的歌女殷勤劝酒，而深情的诗人也拼命喝酒。　[6]舞低杨柳楼心月，歌尽桃花扇底风：歌女舞姿曼妙，一直舞到那轮挂在杨柳梢头、照在楼心上的明月都沉下去了，舞到扇底的风也停下来了（因为累而停止），用来描述歌舞的时间很久。　[7]同："同"可以表示"聚集、会合"，这里指"相见"。　[8]剩："剩"可以表示"更、更加"，这里是说"尽量、力求最大限度"。　[9]银釭（gāng）："釭"指"灯"，所以"银釭"指"银灯"。　[10]犹：副词，还、仍然。唐代诗人杜牧的《泊秦淮》一诗中有"商女不知亡国恨，隔江犹唱后庭花"，里面的"犹"是同样的意思。

声律点津

词牌《鹧鸪天》

《鹧鸪天》这一词牌又名《思佳客》、《思越人》、《醉梅花》等。由于"鹧鸪"这种鸟的叫声比较奇特，古人将其谐音成"行不得也哥哥"，所以在诗文中，常常用它来表示思念故乡。因此，从它的又名我们就可以看出来，《鹧鸪天》这一词牌常常用来表示思念、怀念之情。

它是一首双调小令，看起来很像是两首七绝。实际上，它的上阕的确完全是七绝的形式，下阕只是把第一句拆成了两个三字句。它整体上的平仄格式，是一韵到底，上下阕都各有三个平声韵。需要注意的是，这个词牌应该仄起，不可以用平起。它的平仄格式是这样的：

（仄）仄平平（仄）仄平，（平）平（仄）仄仄平平。（平）平（仄）仄平平仄，（仄）仄平平（仄）仄平。

平仄仄，仄平平。（平）平（仄）仄仄平平。（平）平（仄）仄平平仄，（仄）仄平平（仄）仄平。

现在我们来看晏几道的《鹧鸪天》是否符合平仄格律：

彩袖殷勤捧玉钟，当年拚却醉颜红。舞低杨柳楼心月，歌尽桃花扇底风。

｜｜——｜｜—，——｜｜｜——。｜——｜——｜，—｜——｜｜—。

从别后，忆相逢，几回魂梦与君同。今宵剩把银釭照，犹恐相逢是梦中。

—｜｜，｜——，｜——｜｜——。——｜｜——｜，—｜——｜｜—。

显然，它的格律是符合格式的，韵脚字也很清楚。上阕的韵脚字是“钟”、“红”、“风”，下阕的韵脚字是“逢”、“同”、“中”。用今天的普通话读出来，它们也都是押韵的。

需要注意的是，诗歌押韵用的是诗韵；而词的押韵是不一样的，它要用词韵。但由于古代的科举考试要考作诗，所以“诗韵”有官方修订的韵书，要求很严格。但词不是考试内容，在唐代和宋代，并没有关于词韵的韵书。因此，宋人作词大多是“依声填词”，也就是根据当时人们的口语来写的。先有了宋词之后，后人才总结出了一系列关于词韵的韵书，以清代人戈载的《词林正韵》为代表。

联句对仗

词的对仗特点——不避“同字相对”

在近体诗中，我们很少见到同一个字出现两次，尤其是在对仗的句子中，更是不允许这样。但词就不同了，句子中出现重复的字并不罕见，即使在对仗中也可以。比如：

汴水流，泗水流。（白居易《长相思》）

思悠悠，恨悠悠。（白居易《长相思》）

红了樱桃，绿了芭蕉。（蒋捷《一剪梅》）

春到三分，秋到三分。（吴文英《一剪梅》）

人有悲欢离合，月有阴晴圆缺。（苏轼《水调歌头》）

大儿锄豆溪东，中儿正织鸡笼。（辛弃疾《清平乐》）

不过，虽然词的对仗中允许出现重复的字，也要适可而止，一般只能一个或两个字相同。

延伸阅读

鹧鸪天·时谪黄州

（宋） 苏轼

林断山明竹隐墙，乱蝉衰草小池塘。翻空白鸟时时现，照水红蕖细细香。

—｜——｜｜—，｜——｜｜——。——｜｜——｜，｜｜——｜｜—。

邻舍外，古城旁。杖藜徐步转斜阳。殷勤昨夜三更雨，又得浮生一日凉。

—｜｜，｜——，｜——｜｜——。——｜｜——｜，｜｜——｜｜—。

［注］“竹”、“白”、“昨”、“一” 都是入声字。

鹧鸪天·西都作

（宋） 朱敦儒

我是清都山水郎，天教分付与疏狂。曾批给雨支风券，累上

留云借月章。

丨丨——— 丨—，———丨丨——。——丨丨——丨，丨丨——丨丨—。

诗万首，酒千觞。几曾著眼看侯王。玉楼金阙慵归去，且插梅花醉洛阳。

—丨丨，丨——。丨—丨丨丨——。丨——丨——丨，丨丨——丨丨—。

［注］“著”（zhuó）、“插”是入声字。

思考讨论

前人依据字数，将词分成了哪三类？它们各自有什么区别？

虞美人·春花秋月何时了

（南唐） 李煜

春花秋月[1]何时了[2]，往事[3]知多少？小楼[4]昨夜又东风[5]，故国[6]不堪回首[7]月明中。

雕栏玉砌[8]应犹在[9]，只是朱颜[10]改。问君能有几多[11]愁？恰似[12]一江春水向东流。

注释

[1]春花秋月:“春花秋月”用来比喻美好的事物、人生最美好的时刻。 [2]了:完毕、结束。 [3]往事:指词人过去还是国君的时候所过的那种歌舞升平的宫廷生活。 [4]小楼:词人作为南唐后主,被俘之后投降宋朝,被关押在汴京(今天的河南开封),这里的“小楼”是诗人当时所居住的寓所。

[5]东风:刮起东风的时候,意味着春天来了。所以此处的“东风”指“春风”。 [6]故国:这里的“故”指“过去、从前”,李煜口中的“故国”是指自己已经被宋朝灭了的南唐。 [7]不堪回首:“不堪回首”今天是一个成语,意思是“不忍心回忆过去”。这里的“堪”意思是“能承受”,“不堪”意思就是“不能承受”。

[8]雕栏玉砌:“雕栏”是指“雕花的栏杆”,“玉砌”是指“像白玉一样的台阶”,两个词语合在一起使用,借代作者身为南唐帝王时所居住的豪华宫殿。 [9]应犹在:“应”指“应该”,“犹”指“还、仍然”,“应犹在”意思是“应该还存在”。 [10]朱颜:在古代,“朱红色”象征富贵,是皇家才可以使用的颜色。与前半句相对应,这里的“朱颜”是说宫廷建筑中雕梁画栋的颜色已经褪去。引申开来,它可以表示作者对世事变迁的感慨,对自身处境的伤怀。 [11]几多:几许,多少。比如,唐代诗人李商隐的《代赠》诗之二:“总把春山扫眉黛,不知供得几多愁。” [12]恰似:恰如、正如。李白在《襄阳歌》中有“遥看汉水鸭头绿,恰似葡萄初酦醅”,里面的“恰似”是同样的用法。

声律点津

词牌《虞美人》

《虞美人》和《卜算子》一样，也是以人名命名的词牌名字。它原本也是唐代的教坊曲，最初，用这一曲调吟咏楚霸王项羽的宠姬——虞姬，也就是虞美人，因此得名。它也叫《一江春水》、《玉壶水》、《巫山十二峰》等。

它是一个双调词牌，共五十六个字，前后阕完全相同，都是分别有两个仄声韵、两个平声韵，而且需要平仄交替换韵，每句使用不同的韵，方式是“甲乙丙丁”。也就是说，整首词押了四个不同的韵，而且这四个韵不能相同。

它的词牌格式是这样的：

（平）平（仄）仄平平仄，（仄）仄平平仄。（平）平（仄）仄仄平平，（仄）仄（平）平（仄）仄仄平平。

（平）平（仄）仄平平仄，（仄）仄平平仄。（平）平（仄）仄仄平平，（仄）仄（平）平（仄）仄仄平平。

李煜的这首《虞美人》，标注出平仄是这样的：

春花秋月何时了，往事知多少。小楼昨夜又东风，故国不堪回首月明中。

———｜——｜，｜｜——｜。｜—｜｜｜——，｜｜｜——｜｜——。

雕栏玉砌应犹在，只是朱颜改。问君能有几多愁，恰似一江春水向东流。

——｜｜——｜，｜｜——｜。｜——｜｜——，｜｜｜——｜｜——。

其中，“昨”和“国”、“不”、“一”是入声字。显然，这也是一首格律工整的典范之作。

联句对仗

词的对仗特点——字数可多可少

由于词本身的句子长短不定，这也就决定了它的对仗字数也是可多可少的。近体诗中，律诗最常见的是五言和七言句，但词就不同了，它的对仗不仅位置可前可后，而且字数可多可少。比如：

三字对：梅定妒，菊应羞。（李清照《鹧鸪天》）

四字对：纤云弄巧，飞星传恨。（秦观《鹊桥仙》）

五字对：月上柳梢头，人约黄昏后。（欧阳修《生查子》）

六字对：明月别枝惊鹊，清风半夜鸣蝉。（辛弃疾《西江月》）

七字对：舞低杨柳楼心月，歌尽桃花扇底风。（晏几道《鹧鸪天》）

八字对：似谢家子弟，衣冠磊落；相如庭户，车骑雍容。（辛弃疾《沁园春》）

在“八字对”的例子中我们看到了，虽然“谢家子弟，衣冠磊落”与“相如庭户，车骑雍容”对仗，但多了一个“似”字，也就是“领字”。在八字句对仗中，这种情况是很常见的，比如毛泽东的《沁园春·雪》中“惜秦皇汉武，略输文采；唐宗宋祖，稍逊风骚”也是这样。

延伸阅读

虞美人

（宋） 蒋捷

少年听雨歌楼上，红烛昏罗帐。壮年听雨客舟中，江阔云低断雁叫西风。

丨——丨——丨，—丨——丨。丨——丨丨——，—丨——丨丨丨——。

而今听雨僧庐下，鬓已星星也。悲欢离合总无情，一任阶前点滴到天明。

———丨——丨，丨丨——丨。———丨丨——，丨丨——丨丨丨——。

［注］“烛”、“合”、“滴”是入声字。

虞美人

（宋）周邦彦

淡云笼月松溪路，长记分携处。梦魂连夜绕松溪，此夜相逢恰似梦中时。

丨—丨丨——丨，—丨——丨。丨——丨丨——，丨丨——丨丨丨——。

海山陡觉风光好，莫惜金尊倒。柳花吹雪燕飞忙，生怕扁舟归去断人肠。

丨—丨丨——丨，丨丨——丨。丨——丨丨——，—丨——丨丨——。

［注］“觉”、“惜”是入声字，“扁”（piān），是平声字。

思考讨论

根据我们学过的关于诗词格律的知识，请判断出下面四项中属于“词牌”的是哪一个：

泊秦淮；龟虽寿；江城子；观书有感。

玉楼春·东城渐觉风光好

（宋）宋祁

东城[1]渐觉风光好，縠皱[2]波纹[3]迎客棹[4]。绿杨烟外晓寒轻[5]，红杏枝头春意闹[6]。

浮生[7]长恨[8]欢娱少，肯爱[9]千金轻一笑[10]。为君持酒劝斜阳[11]，且向花间留晚照[12]。

注释

[1]东城：其实就是“城东”，点明了郊游的地点是在“东城”，因为那里先得春光。　[2]縠（hú）皱：“縠”意思是“绉纱”，“縠皱”指“绉纱似的皱纹”，常用来比喻水的波纹。　[3]波纹：水面轻微起伏而形成的水纹。“縠皱”和“波纹”都是用来描写水波的。　[4]迎客棹（zhào）：棹，船桨，也常常用来借指“船”。“迎

客棹”是说“迎接游客的游船”，将水波拟人化了。 [5]绿杨烟外晓寒轻：早春的杨柳如烟似雾，虽然是拂晓，也只有轻微的寒气。 [6]红杏枝头春意闹:红艳的杏花在枝头绽放,春意盎然,纷繁旺盛。“闹”字可以表示“繁盛、旺盛”，比如唐代严武在《题巴州光福寺楠木》诗中有“高枝闹叶鸟不度，半掩白云朝与暮”这样的句子,句中的“闹叶”,就是指“繁密的叶子”。此句的“闹”字用得极好，既有色，又有声。 [7]浮生：虚浮不定的人生。这一词语源自《庄子·刻意》中的“其生若浮，其死若休”一句，人生在世，漂浮无定，所以称人生为“浮生”。 [8]恨：这里的“恨”不是表示“怨恨”,而是“遗憾”。 [9]肯爱:这里的“爱”表示“舍不得、吝惜”,“肯爱”其实表示反问的语气，意思是“不肯爱”，也就是“岂肯吝惜”。 [10]轻一笑：由于“一笑倾人城”、“回眸一笑百媚生”等名句的广为流传，“一笑”往往与“美人”相关。这句词中的“肯爱千金轻一笑”是说,有谁会吝惜千金,却轻视美人的一笑呢？ [11]为君持酒劝斜阳：“持酒”是指手持酒杯。这句词的意思是“为你，我端着酒杯劝说斜阳”。
[12]且向花间留晚照：这句紧接上一句，劝说斜阳干什么呢？暂且为聚会的好友，在百花丛中留下一抹夕照吧。这里的“且”不是表示“而且”，而是表示“暂且”。

声律点津

词牌《玉楼春》

如果说《鹧鸪天》看起来很像是两首七绝拼在一起组成，那么《玉楼春》看起来简直就是一首七律。只是,律诗一般押平声韵,但这首词押的是仄声韵。它还有很多别名，比如《木兰花》、《春晓曲》、《西湖曲》、《惜春容》、《归朝欢令》、《呈纤手》、《归风便》、《东邻妙》、《梦乡亲》、《续渔歌》等。

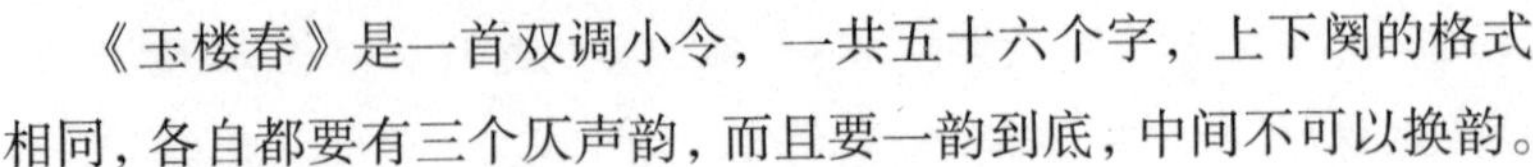

《玉楼春》是一首双调小令，一共五十六个字，上下阕的格式相同，各自都要有三个仄声韵，而且要一韵到底，中间不可以换韵。

和律诗、绝句不同，词牌往往会有“定格”和“变格”。某个词人的作品如果特别有名，就会有很多词人仿作，尊其作品的格式为“定格”。但是在实际创作过程中，很多词人会在这一词牌“定格”的基础上进行调整，那些调整后的格式就叫做“变格”。

《玉楼春》的“定格”是这样的：

（平）平（仄）仄平平仄，（仄）仄（平）平平仄仄。（平）平（仄）仄仄平平，（仄）仄（平）平平仄仄。

（平）平（仄）仄平平仄，（仄）仄（平）平平仄仄。（平）平（仄）仄仄平平，（仄）仄（平）平平仄仄。

现在，我们一起来看一下宋祁这首《玉楼春》的平仄与押韵：

东城渐觉风光好，縠皱波纹迎客棹。绿杨烟外晓寒轻，红杏枝头春意闹。

——||——|，—|———||。|——||——，—|———||。

浮生长恨欢娱少，肯爱千金轻一笑。为君持酒劝斜阳，且向花间留晚照。

———|——|，||———||。|——||——，||———||。

“觉”、“一”是入声字，所以它的平仄可以标注成上述样子。与《玉楼春》的“定格”相对比，我们会发现它是符合格律的。

联句对仗

词的对仗特点——字数不同的对仗

根据对仗的定义，构成对仗的词句，字数是一定要相同的。那么，怎么会存在字数不同的对仗呢？事实上，这种对仗只是表面上看起来字数不同罢了。我们知道,词里面有“领字”这一概念，所以，有些句子看上去字数不同，但去掉了“领字”，就是字数相同的对仗了。之前我们在讲“八字对”的时候已经提到了这一现象，它不仅仅存在于八字对之中，而是一种较为普遍的现象。比如：

念腰间箭，匣中剑。（张孝祥《六州歌头》）

有三秋桂子，十里荷花。（柳永《望海潮》）

迟迟春日弄轻柔，花径暗香流。（朱淑真《眼儿媚》）

此外，我们还需要注意，除了“两句对仗”之外，词中还有一种“三字排比”的现象。比如“时易失，心徒壮，岁将零”。（张孝祥《六州歌头》）

延伸阅读

玉楼春

（宋） 欧阳修

樽前拟把归期说，未语春容先惨咽。人生自是有情痴，此恨不关风与月。

——｜｜——｜，｜｜———｜｜。——｜｜｜——，｜｜｜——｜｜。

离歌且莫翻新阕，一曲能教肠寸结。直须看尽洛城花，始共春风容易别。

——｜｜———｜，｜｜———｜｜。｜—｜｜｜——，｜｜———｜｜。

［注］“说”、“咽”（yè）、“不”、“一”、“曲”、“结”、“直”、“别”是入声字。

玉楼春

（宋） 晏殊

绿杨芳草长亭路，年少抛人容易去。楼头残梦五更钟，花底离愁三月雨。

｜——｜——｜，—｜———｜｜。———｜｜——，—｜———｜｜。

无情不似多情苦，一寸还成千万缕。天涯地角有穷时，只有相思无尽处。

——｜｜——｜，｜｜———｜｜。——｜｜｜——，｜｜———｜｜。

思考讨论

在“词”中，几种不同的格式可以合用一个词牌，而且，同一种格式可以有几个不同的词牌名称。请你判断一下，这样说对吗？

蝶恋花·庭院深深深几许

（宋）欧阳修

庭院深深深几许[1]，杨柳堆烟[2]，帘幕无重数[3]。玉勒[4]雕鞍[5]游冶处[6]，楼高不见章台[7]路。

雨横[8]风狂三月暮，门掩黄昏，无计[9]留春住[10]。泪眼问花花不语，乱红[11]飞过秋千去。

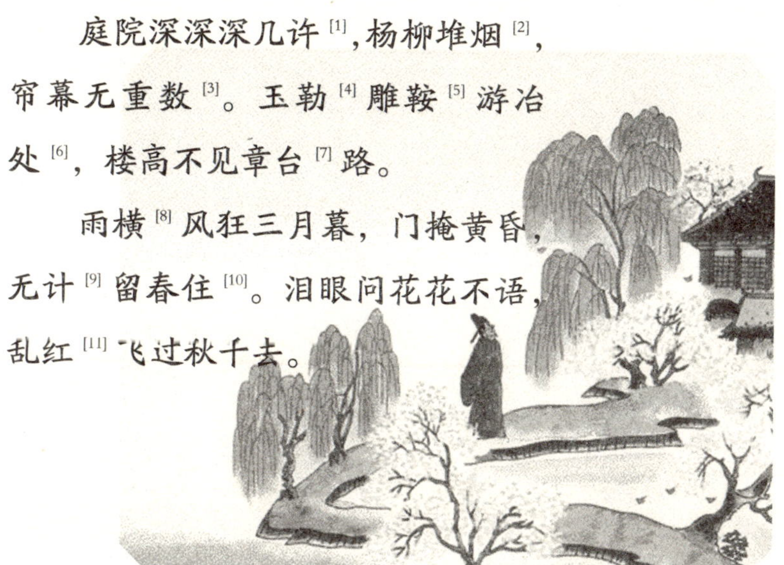

注释

[1] 几许：多少。“许”可以表示“约略估计数”。比如，唐代诗人王翰在《飞燕篇》中有这样的句子：“可怜女儿三五许，丰茸惜是一园花。” [2] 堆烟：笼罩上层层雾气。用“堆”字形容杨柳浓密。 [3] 无重数：“无重数”其实是“无数重”的倒装，是说一重又一重的帘幕，有无数重，用来描写庭院的无比幽深。[4] 玉勒：玉制的马衔，常常与“金鞍”、“银鞍”一起出现，用来描写骏马的英姿。比如，北周时期庾信的《三月三日华林园马射赋》中有“控玉勒而摇星，跨金鞍而动月。” [5] 雕鞍：刻饰花纹的马鞍，华美的马鞍。在这里借指宝马。 [6] 游冶处：“游

冶”本来指“出游寻乐”，在这里特指留连妓馆，追逐声色。因此，这里的“游冶处”指歌楼妓院。 [7]章台：“章台”本来是汉代长安街名，唐朝许尧佐著有《章台柳传》，记录了妓女柳氏的事迹。后来，人们把“章台”作为歌妓聚居之地的代称。 [8]雨横（hèng）：“横”在这里读去声，可以表示“暴烈、猛烈”，所以“雨横”是说暴雨肆虐。 [9]无计：没有办法。 [10]住：停留、留。宋代诗人张元干在《渔家傲》词中写道：“春光已向梅梢住。” [11]乱红：凌乱的落花。“红”本来可以借指红色的花，后来也就用它泛指各种颜色的花朵。比如，我们熟悉的“落红不是无情物”就是这样。

声律点津

词牌《蝶恋花》

《蝶恋花》这一词牌，一般用来填写多愁善感和缠绵悱恻的内容。它原本是唐代教坊曲，名字叫《鹊踏枝》，后来宋代词人晏殊根据梁简文帝的诗句“翻阶蛱蝶恋花情”，把它改成了《蝶恋花》。它还有很多别名，比如《黄金缕》、《卷珠帘》、《凤栖梧》、《一箩金》、《鱼水同欢》、《转调蝶恋花》等，指的其实都是同一个词牌。

《蝶恋花》这一词牌，分为上下两阕，一共六十个字，需要押仄声韵，上下两阕要同韵，也就是“一韵到底”。现在我们来看《蝶恋花》的规范格律：

（仄）仄（平）平平仄仄。（仄）仄平平，（仄）仄平平仄。（仄）仄（平）平平仄仄，（平）平（仄）仄平平仄。

（仄）仄（平）平平仄仄。（仄）仄平平，（仄）仄平平仄。（仄）仄（平）平平仄仄，（平）平（仄）仄平平仄。

（注：加括号的字表示这个位置上可以是平声字，也可以是仄声字；加方框的字表示是韵脚字，说明这个位置需要押韵。另外，上下阕的第四句，句尾三个字都可以使用“仄平仄”。）

现在我们来看欧阳修的这首《蝶恋花》是否符合格律：

庭院深深深几许？杨柳堆烟，帘幕无重数。玉勒雕鞍游冶处，楼高不见章台路。

—｜———｜｜，—｜——，—｜——｜。｜｜———｜｜，——｜｜——｜。

雨横风狂三月暮，门掩黄昏，无计留春住。泪眼问花花不语，乱红飞过秋千去。

｜｜———｜｜，—｜——，—｜——｜。｜｜｜——｜｜，｜——｜——｜。

显然，这首词的格律非常工整。正因为在内容与形式上都非常出色，所以它才能成为难得一见的佳作。

联句对仗

词的对仗特点——不要求平仄相对

前面我们已经学过，在律诗中，由于“粘”和“对”的规则，所以对仗的句子之间，往往是平仄相对的，尤其是第二、四、六字和最后一个字，更是必须要求平仄相对。但是在词里，不再有这个规则。也就是说，词的对仗，只需要文字相对，不需要平仄相对。它的平仄是要根据词谱的规定来确定的。比如：

句尾都是仄声字：花影乱，莺声碎。（秦观《千秋岁》）

上下句平仄完全相同：左牵黄，右擎苍。（苏轼《江城子》）

用平仄对仄仄：三十功名尘与土，八千里路云和月。（岳飞《满江红》）“尘与土”是“平仄仄”，“云和月”是“平平仄”，用读“平仄”的“和月”与读“仄仄”的“与土”相对。

用平仄对平平：月上柳梢头，人约黄昏后。（欧阳修《生查子》）“柳梢头”是“仄平平”，“黄昏后”是“平平仄”，用读“平仄”的“昏后”与读“平平”的“梢头”相对。

用平平对平仄：八音相应谐韶乐，一声未了落梁尘。（刘克庄《最高楼》）“韶乐”读“平仄”，而“梁尘”读“平平”。

延伸阅读

蝶恋花

（宋） 苏轼

花褪残红青杏小，燕子飞时，绿水人家绕。枝上柳绵吹又少，天涯何处无芳草。

—丨———丨丨，丨丨——，丨丨——丨。—丨丨——丨丨，———丨——丨。

墙里秋千墙外道，墙外行人，墙里佳人笑。笑渐不闻声渐悄，多情却被无情恼。

—丨———丨丨，—丨——，—丨——丨。丨丨丨——丨丨，——丨丨——丨。

蝶恋花

（宋） 柳永

独倚危楼风细细，望极春愁，黯黯生天际。草色烟光残照里，无言谁会凭栏意？

丨丨———丨丨，丨丨——，丨丨——丨。丨丨———丨丨，———丨——丨。

拟把疏狂图一醉，对酒当歌，强乐还无味。衣带渐宽终不悔，为伊消得人憔悴。

丨丨——丨丨，丨丨——，—丨——丨。—丨丨——丨丨，丨——丨——丨。

［注］“独”、“极”、“一”、“得”是入声字。

思考讨论

“词和近体诗一样，都可以押仄声韵”。这句话是否正确，如果不正确，应该怎样改正呢？

一剪梅·红藕香残玉簟秋

（宋） 李清照

红藕[1]香残玉簟[2]秋。轻解罗裳[3]，独上兰舟[4]。云中谁寄锦书[5]来？雁字[6]回时，月满西楼[7]。

花自飘零水自流，一种相思，两处闲愁[8]。此情无计可消除，才下眉头，却上心头[9]。

注释

［1］红藕：红色的荷花。 ［2］玉簟（diàn）：竹席的美称。清代的汪懋麟在《夏初临·夏景》词中写道：“水晶帘卷，珊瑚枕滑，

玉簟清凉。”把寻常的帘子、枕头、竹席描写得极富美感。

[3] 罗裳：绸罗做的裙子。“裳”本来指古人穿的下衣，后来也泛指衣服。　[4] 兰舟：用木兰木造的小舟，这里是船的雅称。由于木兰树材质坚硬而且有香味，所以一直是制作舟船的理想材料。于是，木兰舟、兰舟也成了文人对“舟”的美称。　[5] 锦书：也叫“锦字书”、“锦字”，多用来指表达思念之情的书信。这里运用了一个典故：根据《晋书·列女传》的记载，窦滔的妻子苏惠善于写作诗文，窦滔被流放时，苏惠思念他，织锦作《璇玑图诗》送给窦滔。这是一首回文诗，纵横反复都可以读，文词非常凄婉。后来，人们把妻子寄给丈夫的书信称为“锦书”或“锦字”。渐渐地，它也成为书信的美称。　[6] 雁字：大雁群飞的时候，往往排成“一”字或“人”字。所以，这里的“雁字”指成列而飞的雁群。

[7] 月满西楼：皎洁的月光洒满“西楼”。这里的“西楼”，是指顺河楼。李清照与夫君赵明诚常常在顺河楼前的花月之下，对酒赏花，唱和诗词。　[8] 一种相思，两处闲愁：同一种相思，彼此都在思念对方，却天各一方，只能各自愁闷。“闲愁”指无端、无谓的忧愁。　[9] 才下眉头，却上心头：愁云刚刚在眉间消失，又隐隐缠绕在心里。

声律点津

词牌《一剪梅》

《一剪梅》这一词牌本来得名于周邦彦词中的“一剪梅花万样娇”，但由于李清照的这首“红藕香残玉簟秋”太有名了，所以又叫做《玉簟秋》。它是一种双调小令，共六十个字，上、下阕各六句，每一句都要用平声收尾，每一句都要押韵，而且要一韵到底。“延伸阅读”部分蒋捷的《一剪梅》就是这样。

至于李清照的这首《一剪梅》，上下两阕都只有第一、三、六句押韵了，这也是可以的，相当于一种变体。如果说在这一词牌中，正体是六句全都押平声韵，也就是“六平韵”。那么，它可以有多重变体——三平韵、四平韵、五平韵都可以。李清照的这首词就是“三平韵”。

现在我们来看《一剪梅》的词牌格式：

（仄）仄平平（仄）仄平，（仄）仄平平，（仄）仄平平，（平）平（仄）仄仄平平。（仄）仄平平，（仄）仄平平。

（仄）仄平平（仄）仄平。（仄）仄平平，（仄）仄平平，（平）平（平）仄仄平平。（仄）仄平平，（仄）仄平平。

而李清照这首词的格律则是：

红藕香残玉簟秋。轻解罗裳，独上兰舟。云中谁寄锦书来？雁字回时，月满西楼。

—丨——丨丨—。—丨——，丨丨——。———丨丨——，丨丨——，丨丨——。

花自飘零水自流，一种相思，两处闲愁。此情无计可消除，才下眉头，却上心头。

—丨——丨丨—，丨丨——，丨丨——。丨——丨丨——，—丨——，丨丨——。

“独”是入声字，所以要标为仄声。显然，这首词是符合格律要求的。

另外，由于这一词牌是用一个七言句带两个四言句，所以节奏明快。但同时由于句句收平声，所以表达的情感一般较为低沉压抑。

联句对仗

可以考虑对仗的词句

有人可能会觉得，如果在作词的时候，像律诗一样，在字数相同的地方都尽量对仗，这样不是显得更整齐吗？其实不是这样的，在词里面，如果用散句比用对仗能更好地表达词意，就不用对仗。不过有些词牌的某些位置，是可以用，也可以不用对仗的。如果用了，会更有节奏感，比如：

《一剪梅》上下阕第二、三句和第五、六两句：闷蕊惊寒减艳痕，蜂也消魂，蝶也消魂。醉归无月傍黄昏，知是花村，知是前村。留得闲枝叶半存，好似桃根，不似桃根。小楼昨夜雨声浑，春到三分，秋到三分。（张炎）

《桂枝香》上阕第八、九句：彩舟云淡，星河鹭起。（王安石）

《清平乐》下阕第一、二句：盛气光引炉烟，素草寒生玉佩。（李白）

《诉衷情》下阕最后两句：心在天山，身老沧州。（陆游）

《风入松》上下阕最后两句：料峭春寒中酒，交加晓梦啼莺。……惆怅双鸳不到，幽阶一夜苔生。（吴文英，后一联是半对半不对）

《苏幕遮》上下阕第一、二句：碧云天，黄叶地。秋色连波，波上寒烟翠。山映斜阳天接水。芳草无情，更在斜阳外。 黯乡魂，追旅思。夜夜除非，好梦留人睡。明月楼高休独倚。酒入愁肠，化作相思泪。（范仲淹）

除了它们之外，还有《声声慢》、《更漏子》、《夜行船》、《临江仙》、《唐多令》、《行香子》等词牌中的某些句子，也是可以考虑使用对仗的。

延伸阅读

一剪梅

（宋）周邦彦

一剪梅花万样娇。斜插疏枝，略点梅梢。轻盈微笑舞低回。何事尊前，拍手相招。

｜｜——｜｜—。—｜——，｜｜——。———｜｜——。—｜——，｜｜——。

夜渐寒深酒渐消。袖里时闻，玉钏轻敲。城头谁恁促残更。银漏何如，且慢明朝。

｜｜——｜｜—。｜｜——，｜｜——。———｜｜——。—｜——，｜｜——。

［注］“一”、“插”、“拍”是入声字，这首词上下两阕都是用的“三平韵”。

一剪梅

（宋）蒋捷

一片春愁带酒浇。江上舟摇，楼上帘招。秋娘容与泰娘娇。风又飘飘，雨又萧萧。

｜｜——｜｜—。—｜——，—｜——。———｜｜——。—｜——，｜｜——。

何日云帆卸浦桥。银字筝调，心字香烧。流光容易把人抛。红了樱桃，绿了芭蕉。

—｜——｜｜—。—｜——，—｜——。———｜｜——。—｜——，｜｜——。

［注］这首词上下两阕，每一句都押韵，用的是“六平韵”。

思考讨论

下列对仄韵格的叙述，正确的是哪一项呢？

1. 必然要一韵到底。

2. 有可能中间出现换韵，但是一首词必然是只有上、去声韵或者只有入声韵的。

3. 有可能出现换韵，从上、去声韵换到入声韵也是有可能的。

青玉案·元夕[1]

（宋） 辛弃疾

东风夜放花千树[2]，更吹落，星如雨[3]。宝马雕车[4]香满路。凤箫[5]声动，玉壶[6]光转，一夜鱼龙舞[7]。

蛾儿雪柳黄金缕[8]，笑语盈盈[9]暗香去。众里寻他[10]千百度[11]，蓦然[12]回首，那人却在，灯火阑珊[13]处。

注释

[1]元夕：也就是元宵节的夜晚。阴历（农历）的正月十五日是元宵节，那天晚上称为“元夕”或“元夜”。　[2]东风夜放花千树：这句词充满了奇妙的想象，东风像在春天催开百花那样，在元宵节的夜里，吹放了火树银花（挂在树上的花灯）。

[3]星如雨：燃放的烟火从空中降落，如同陨星雨。　[4]宝马雕车：珍贵的宝马，装饰华丽的车子，指的是考究的车骑。

[5]凤箫：一种管乐器，也就是排箫。古人用多根竹子并在一起制成排箫，参差如同凤凰的羽翼，所以叫“凤箫”。　[6]玉壶：这里指“月亮”。古人给月亮取了很多雅号，比如玉弓、玉钩等。元宵夜是满月，所以可以叫玉壶，也可以叫金轮、玉轮、银盘、玉盘、金镜、玉镜等。　[7]鱼龙舞：指舞鱼灯、龙灯。

[8]蛾儿雪柳黄金缕：“蛾儿”是古代妇女于元宵节前后插戴在头上的、剪彩而成的应时饰物。“雪柳”是宋代妇女在立春日和元宵节时插戴的一种绢或纸制成的头花。《大宋宣和遗事》中有记载：“少刻，京师民有似云浪尽头上，戴着玉梅、雪柳、闹蛾儿。”“黄金缕”是头饰上的金丝缕。这三者都是古代妇女的首饰，所以在这里共同指“盛妆的女子”。　[9]盈盈：仪态美好的样子。

[10]他：在古代和近现代，“他”泛指男性和女性。在这里的“他”，其实指的是位女子。我们今天使用的女性第三人称代词“她”，是1918年刘半农最早开始使用并提倡的。　[11]千百度：千百次。“度”在这里是量词，表示“次、回”。　[12]蓦然：猛然、突然。

[13]灯火阑珊：“阑珊”在这里表示“暗淡、零落”，所以“灯火阑珊”用来描写灯火零落稀疏的样子，与前面的盛况形成鲜明对比，也暗示了“那人”的孤高自赏。

声律点津

词牌《青玉案》

东汉的张衡有一首《四愁诗》，里面有“美人赠我锦绣段，何以报之青玉案”这样的句子，《青玉案》这一词牌名就取自其中。它又叫《横塘路》、《西湖路》。

这一词牌也是双调，一共六十七个字，上阕三十三个字，下阕三十四个字。上下两阕分别都要有五个韵脚字，都押仄声韵。比如，“延伸阅读”中，贺铸那首著名的《青玉案》押的就是“五仄韵”，也就是五个韵脚字都押仄声韵。

但很多作品，比如辛弃疾的这首《青玉案》，以及下面苏轼的《青玉案》，都是押的“四仄韵”：

三年枕上吴中[路]，遣黄犬，随君[去]。若到松江呼啸[渡]，莫惊鸳鹭，四桥尽是，老子经行[处]。

辋川图上看春[暮]，常记高人右丞[句]。作个归期天已[许]。春衫犹是，小蛮针线，曾湿西湖[雨]。

显然，词中加方框的是韵脚字。

大家可能已经发现了，这些韵脚字，有的是去声（汉语拼音中的第四声）字，比如“路”、“去”、“渡”、“暮”、“句”；有的是上声（汉语拼音中的第三声）字，比如“许”、“雨”。在《青玉案》这一词牌中，是允许这种做法的，上声和去声可以通押。在辛弃疾的这首《青玉案》中，韵脚字分别是“树”、“雨”、“路”、“舞”、“缕”、“去”、“度”、“处”，也是有上声有去声。

我们已经知道，律诗的规则是，在同一首诗中，要一韵到底，而且几乎全都是押平声韵。但“词”是不同的。每一个词牌对韵脚都有明确的规定：有的词牌押平声韵；有的押仄声韵；有的是平声字和仄声字互相押韵，也就是说，韵脚既有平声字，又有仄声字，这叫“平仄互押”，或“平仄通押”。上声和去声通押也是一样的情况，只要词牌规定可以这样做，按照规定来就可以了。

和《一剪梅》、《蝶恋花》等上下阕一致的词牌相比，《青玉案》显得十分别致，它原本是上下阕相同的，只是上阕的第二句，变成了三字一段的叠句，因此显得跌宕生姿。但下阕却又没有了这种断叠，而是一气呵成的三个七言句，后面接着三个四言句，既整齐又不乏变换。它的词牌平仄格律如下：

（平）平（仄）仄平平仄，仄（仄）仄、平平仄。（仄）仄（平）平平仄仄。（仄）平平仄，（仄）平平仄，（仄）仄平平仄。

（平）平（仄）仄平平仄，（仄）仄平平仄平仄。（仄）仄（平）平平仄仄。（仄）平平仄，（仄）平平仄，（仄）仄平平仄。

其中，加括号的表示可平可仄，加方框的表示是韵脚字。不过，是否一定要押“五仄韵”，是可以商榷的。

联句对仗

习惯上要求对仗的词句

虽然词对于对仗没有过多要求，但有一些词牌的某些位置，习惯上是要求对仗的。如：

《鹧鸪天》上阕第三、四句：一春鱼鸟无消息，千里关山劳梦魂。（秦观）

《西江月》上下阕第一、二句：七八个星天外，两三点雨山前。（辛弃疾）

《浣溪沙》下阕第一、二句：无可奈何花落去，似曾相识燕归来。（晏殊）

《诉衷情》下阕第一、二句：胡未灭，鬓先秋。（陆游）

诗词格律

《水调歌头》下阕第六、七句：人有悲欢离合，月有阴晴圆缺。（苏轼）

《长相思》上下阕第一、二句：蘋满溪，柳绕堤。相送行人溪水西，回时陇月低。烟霏霏，雨凄凄。重倚朱门听马嘶，寒鸥相对飞。（欧阳修）

《相见欢》下阕第一、二句：剪不断，理还乱。（李煜）

《破阵子》上下阕首四句：醉里挑灯看剑，梦回吹角连营。八百里分麾下炙，五十弦翻塞外声。沙场秋点兵。马作的卢飞快，弓如霹雳弦惊。了却君王天下事，赢得生前身后名。可怜白发生。（辛弃疾）

《阮郎归》下阕第一、二句：兰佩紫，菊簪黄。（晏几道）

除此之外，还有《渔歌子》、《眼儿媚》、《南歌子》、《踏莎行》、《满江红》、《玉蝴蝶》、《瑞龙吟》、《兰陵王》、《苏幕遮》、《鹊桥仙》、《解语花》等词牌，对于对仗都有相关要求。感兴趣的同学可以找来一些作品，分析一下哪些位置的句子是要求对仗的。

延伸阅读

青玉案

（宋）贺铸

凌波不过横塘路，但目送，芳尘去。锦瑟年华谁与度？月桥花院，锁窗朱户，只有春知处。

——｜｜——｜，｜｜｜，——｜。｜｜———｜｜。｜——｜，｜——｜，｜｜——｜。

飞云冉冉蘅皋暮，彩笔新题断肠句，试问闲愁都几许？一川烟草，满城风絮，梅子黄时雨！

——｜｜——｜，｜｜——｜—｜，｜｜———｜｜。｜——｜，｜——｜，—｜——｜。

青玉案

（宋） 黄公绍

年年社日停针线，怎忍见，双飞燕。今日江城春已半。一身犹在，乱山深处，寂寞溪桥畔。

——｜｜——｜，｜｜｜，——｜。—｜———｜｜。｜——｜，｜——｜，｜｜——｜。

春衫著破谁针线，点点行行泪痕满。落日解鞍芳草岸。花无人戴，酒无人劝，醉也无人管。

——｜｜——｜，｜｜——｜—｜。｜｜｜——｜｜。———｜，｜——｜，｜｜——｜。

思考讨论

和格律诗相比，词的对仗都有哪些不同之处呢？请试着总结一下。

水调歌头·明月几时有

（宋） 苏轼

丙辰中秋，欢饮达旦，大醉，作此篇，兼怀子由。

明月几时[1]有？把酒[2]问青天[3]。不知天上宫阙[4]，今夕[5]是何年。我欲乘风归去[6]，唯恐琼楼玉宇[7]，高处不胜寒。起舞弄清影[8]，何似在人间[9]。

转朱阁[10]，低绮户[11]，照无眠[12]。不应有恨[13]，何事偏向别时圆[14]？人有悲欢离合，月有阴晴圆缺，此事古难全[15]。但愿[16]人长久，千里共婵娟[17]。

注释

[1]几时：什么时候。比如，杜甫的《天末怀李白》中有“鸿雁几时到，江湖秋水多”这样的句子。　[2]把酒：端起酒杯。

“把”表示“握、执”。　[3]青天：也就是天。因为天是蓝色的，所以总被称为“青天”。　[4]宫阙（què）：“阙”本来指“宫门、城门两侧的高台，中间有道路，台上起楼观”，“宫阙”连用则表示“宫殿”。　[5]今夕：“夕”表示“夜”，“今夕”指今晚、当晚。
[6]归去：回到天上去。　[7]琼（qióng）楼玉宇：“琼”的意思是“美玉”，“琼楼玉宇”字面意思是用美玉砌成的楼宇，在这里指想象中的仙宫。　[8]起舞弄清影：“弄”的意思是“舞弄、赏玩”，“清影”是指月光下自己清朗的身影。“起舞弄清影”，意思是说“和自己的清影一起，在月光下翩翩起舞”。　[9]何似在人间：“何似”意思是“何如”，用反问的语气表示“不如”。“何似在人间”的意思是“哪里比得上在人间呢”。　[10]朱阁：朱红的华丽楼阁，形容楼阁的华贵美丽。　[11]绮户：彩绘雕花的门。　[12]无眠：在这里指“无眠的人”，也就是诗人自己。下阕头三句的主语都是“月亮”。　[13]恨：怨恨。
[14]何事偏向别时圆：“何事”表示“为何、何故”，也就是“为什么”；“偏”表示“偏偏”。　[15]此事古难全：这里的“此事”指的是前两句中人的“欢”、“合”，以及月的“晴”、“圆”等美好的时刻。
[16]但愿：“但”表示“只”，“但愿”也就是“只愿”。
[17]千里共婵娟（chán juān）：“婵娟”在这里指“明月”。这句是说，虽然和子由（作者的弟弟）相隔千里，但我们可以一起欣赏这轮明月。

声律点津

词牌《水调歌头》

在唐宋“大曲”中，开头的部分，往往也就是全曲的首章，叫做“歌头”。《水调歌头》这一词牌，原本是《水调歌》的开头部分，也叫做《元会曲》、《凯歌》、《台城游》等。

它是一首长调，分为上下两阕，共有九十五个字。上阕九句，下阕十句，各自都有四个平声韵脚字。但这一词牌的格律比较复杂，我们先来看苏轼这首《水调歌头·明月几时有》的格律：

明月几时有？把酒问青天。不知天上宫阙，今夕是何年。我欲乘风归去，唯恐琼楼玉宇，高处不胜寒。起舞弄清影，何似在人间。

—｜｜—｜，｜｜｜——。｜——｜—｜，—｜｜——。｜｜———｜，—｜——｜｜，—｜｜——。｜｜｜—｜，—｜｜——。

转朱阁，低绮户，照无眠。不应有恨，何事偏向别时圆？人有悲欢离合，月有阴晴圆缺，此事古难全。但愿人长久，千里共婵娟。

｜—｜，—｜｜，｜——。｜—｜｜，—｜—｜｜——。—｜———｜，｜｜———｜，｜｜｜——。｜｜——｜，—｜｜——。

苏轼的这首《水调歌头》，其平仄是跟下面这一格律要求相吻合的：

中中中中仄，中仄仄平平。中平平仄，中中平仄仄平平（上四下七或上六下五）。中仄中平中仄，中仄中平中仄，中仄仄平平。中中中平仄，中仄仄平平。

中中中，中中仄，仄中平。中平中仄，中仄中仄仄平平（上四下七或上六下五）。中仄中平中仄，中仄中平中仄，中仄仄平平。中仄中平仄，中仄仄平平。

大家注意到了，在这一格律要求中出现了“中”，它表示在这一位置上的字，可以是平声，也可以是仄声。由于这一词牌的平仄可以出入的地方很多，灵活度比较高，所以我们直接用了“中”来表示。在这些“中”的位置上，词人作词时可以自己掌握调配。

另外，在这一词牌中，上阕的第三、四句，下阕的第四、五句，都可以写作上六下五（前半句六个字，后半句五个字），也可作上四下七（前半句四个字，后半句七个字），词人可以比较随意地自己确定。

苏轼的《水调歌头·明月几时有》和下面“延伸阅读”部分苏轼的另一首《水调歌头》，以及周紫芝的《水调歌头》，都符合上面我们列举出的这一平仄格律。不过，它只是《水调歌头》的格律之一，另外还有一些变体，比如：

中仄仄平仄，中仄仄平平。中平中仄平中，中仄仄平平。中仄平平中仄，中仄平平中仄，中仄仄平平。中仄仄平仄，中仄仄平平。

中中中，中中仄，仄平平。中平中仄，平中平仄仄平平。中仄平平中仄，中仄平平中仄，中仄仄平平。中仄中平仄，中仄仄平平。

除了押平声韵之外，还有一些词人的《水调歌头》押了仄声韵，比如贺铸的《水调歌头·台城游》，就用了平仄换韵格。但这样的作品比较少，我们简要了解一下就可以了。

联句对仗

扇面对

有一种对仗形式叫扇面对，在律诗中非常罕见，但在词中较为常见。它是指这样一种对仗：某一联的出句和对句本身并不是对仗的，但是前一联和后一联之间，却形成了对仗。也就是说，这种对仗，不是发生在出句和对句之间，而是上联和下联之间。所以它也叫“隔句对”。

比如柳永的《玉蝴蝶》上阕中有“水风轻，蘋花渐老；月露冷，梧叶飘黄”，下阕有“念双燕，难凭远信；指暮天，空识归航”，这就是典型的扇面对。

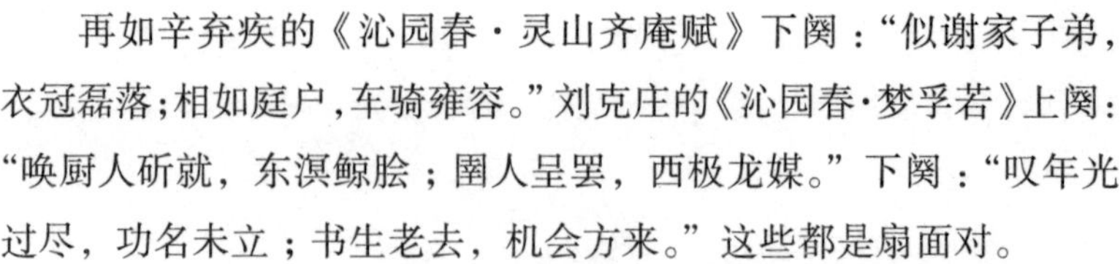

再如辛弃疾的《沁园春 · 灵山齐庵赋》下阕："似谢家子弟，衣冠磊落；相如庭户，车骑雍容。"刘克庄的《沁园春·梦孚若》上阕："唤厨人斫就，东溟鲸脍；圉人呈罢，西极龙媒。"下阕："叹年光过尽，功名未立；书生老去，机会方来。"这些都是扇面对。

这种"扇面对"，在《沁园春》中特别常见。而且，在上面所举《玉蝴蝶》和《沁园春》的例子中，这一位置上的句子通常是要求使用扇面对的。

延伸阅读

水调歌头

（宋） 苏轼

落日绣帘卷，亭下水连空。知君为我新作，窗户湿青红。长记平山堂上，攲枕江南烟雨，杳杳没孤鸿。认得醉翁语，山色有无中。

｜｜｜—｜，—｜｜——。———｜—｜，—｜｜——。—｜———｜，—｜———｜。｜｜｜——，｜｜｜—｜，—｜｜——。

一千顷，都镜净，倒碧峰。忽然浪起，掀舞一叶白头翁。堪笑兰台公子，未解庄生天籁，刚道有雌雄。一点浩然气，千里快哉风。

｜——，—｜｜，｜｜—。｜—｜｜，—｜｜｜｜——。—｜———｜，｜｜———｜。—｜｜——，｜｜｜—｜，—｜｜｜—。

［注］"湿"、"没"、"碧"、"忽"都是入声字，"攲"读 qī。

水调歌头

（宋） 周紫芝

落日在烟树，云水两空蒙。淡霞消尽，何事依约有微红。湖

上晚来风细，吹尽一天残雨，苍翠湿千峰。谁遣长空月，冷浸玉壶中。

丨丨丨—丨，—丨丨——。丨——丨，—丨—丨丨——。—丨丨——丨，—丨丨——丨，—丨丨——。—丨——丨，丨丨丨——。

问明月，应解笑，白头翁。不堪老去，依旧临水照衰容。良夜几横烟棹，独倚危墙西望，目断远山重。但恨故人远，此乐与谁同。

丨—丨，—丨丨。丨——。丨—丨丨。—丨—丨丨——。—丨———丨。丨丨———丨，丨丨丨——。丨丨丨—丨，丨丨丨——。

［注］“约”、“湿”、“白”、“独”是入声字；“应”有平仄两读；“几”在这里读 jī，是平声字。

思考讨论

请从下列诗句中选出“月送花香浮小院”的对句。

A. 黛叶影重隔寒窗；　　B. 风摇竹影映幽斋；

C. 梦随春风到天涯；　　D. 风吹萤火飘满园。

念奴娇·赤壁怀古

（宋）　苏轼

大江[1]东去，浪淘[2]尽，千古风流人物[3]。故垒[4]西边，人道是，三国周郎[5]赤壁。乱石穿空[6]，惊涛拍岸，卷起千堆雪[7]。江山如画，一时多少豪杰。

遥想[8]公瑾当年，小乔[9]初嫁了[10]，雄姿英发[11]。羽扇纶巾[12]，谈笑间，樯橹[13]灰飞烟灭。故国[14]神游，多情应笑我，早生华发[15]。人间[16]如梦，一尊[17]还[18]酹[19]江月。

注释

[1] 大江：指今天的长江。　[2] 淘：冲刷。比如，唐代诗人白居易在《浪淘沙》词中写道："暮去朝来淘不住，遂令东海变桑田。"　[3] 风流人物："风流"指风采特异、杰出的；"风流人物"是说对一个时代有很大影响、在当时叱咤风云的人物。　[4] 故垒：古代的堡垒、旧堡垒。黄州地区的"故垒"，很可能是古战场的遗迹。　[5] 周郎：指周瑜，字公瑾。所以下文的"公瑾"指的是同一个人。在赤壁之战中，周瑜指挥孙、刘联军用火攻打败曹操，奠定了三分天下的局面。　[6] 乱石穿空：陡峭的石壁直刺天空。　[7] 千堆雪：是指层层浪花，犹如千堆雪。　[8] 遥想：悠远地思索或想象、回想。　[9] 小乔：东吴的乔公家有两个女儿，大女儿是大乔，嫁给了孙权的哥哥孙策做妻子，小女儿就是小乔，嫁给周瑜做妻子。大小乔都有花容月貌。　[10] 了（liǎo）：完结、结束。前面的"初"是"刚刚"之意，整句话的意思是说，小乔刚刚嫁给周瑜。

[11] 英发：英挺勃发。　[12] 羽扇纶（guān）巾："羽扇"是指用长羽毛制成的扇子；"纶巾"是一种帽子的名字，指古代用青色丝带做的头巾。相传诸葛亮在军中经常戴这种帽子，所以它也叫"诸葛巾"。古时候的儒将，常常会做这种装束打扮。　[13] 樯橹：也写作"强虏"。如果是"樯橹"，表示曹操的水军战船。因为"樯"是"挂帆的桅杆"，"橹"是一种摇船的桨；如果是"强虏"，表示

曹操的军队。两者一个指的是“物”，一个指的是“人”，其实都指“曹操这一敌军”。　[14]故国：在这里指旧地，当年的赤壁战场。　[15]华发：花白的头发。“华”可以表示“(头发)花白”。宋代诗人梅尧臣在《泊寿春龙潭上夜半黑风破一舟》诗中有这样的句子：“妻孥皆失色，一夕鬓欲华。”这里的“华”就是“头发花白”之意。　[16]人间：还有一个版本写作“人生”。[17]尊：通“樽”，指酒杯，这里用来指代酒。　[18]还(huán)：回还，“神思”从“神游”中回还。　[19]酹(lèi)：古人祭奠的时候，把酒浇在地上祭奠叫做“酹”。在这里，诗人通过洒酒酬月，来寄托自己的感情。

声律点津

词牌《念奴娇》

“念奴”是唐朝天宝年间一位著名歌妓的名字，相传“念奴娇”这一词调就是因她而来，目的是为了赞美她的歌舞技艺。《念奴娇》也被称为《大江东去》、《千秋岁》、《酹江月》、《杏花天》、《赤壁谣》、《壶中天》、《大江西上曲》、《百字令》等，有十多个不同的名字。

《念奴娇》是一首长调，一共有一百个字。上阕十句，四十九个字；下阕十句，五十一个字，它们各自要有四个押仄声韵的韵脚字，而且要一韵到底。和《水调歌头》一样，《念奴娇》对平仄的要求也比较宽松，因此有很多位置上的字都既可以是平声也可以是仄声，所以我们依然用“中”来代表这些位置上的字。它的格律如下：

中平中仄，仄平中、中仄中平平仄(或仄平平中仄、中平平仄)。中仄中平平仄仄，中仄中平平仄。中仄平平，中平中仄，仄仄平平仄。

中平中仄，中平平仄平仄。

中仄中仄平平（或中平中仄平平），中平平仄（或中仄平平），中仄平平仄。中仄中平平仄仄，中仄中平平仄。中仄平平，中平中仄，中仄平平仄。中平中仄，中平平仄平仄。

虽然《念奴娇》不太拘泥于平仄，但一般要押入声韵。因为词人们认为，这一词牌用仄声韵，才能产生特殊的抑扬顿挫效果，显得声情激越。与它一样，强调用入声韵的词牌，还有《忆秦娥》、《满江红》等。而且，《念奴娇》上下阕的后七句，字数和平仄要相同。

需要注意的是，这一词牌也有押平声韵的格式，只是不太常见，因此我们就不详细讲述了。虽然《念奴娇》这一词牌名听起来绮丽婉转，女性味道十足，但实际上，它适合用来抒写豪迈的感情，就像苏轼的这首“大江东去”一样。

联句对仗

搓挪对

和扇面对一样，搓挪对也是一种特殊的对仗格式，只是它比较少见。

“搓挪”本身的意思是“放在手里揉搓”，至于“搓挪对”，是说把原本正常的对仗有规律地挪动位置，制造出交叉对偶的格局来。比如，

宋代词人周邦彦有一首《尉迟杯》，全词如下：

隋堤路。渐日晚、密霭生深树。阴阴淡月笼沙，还宿河桥深处。无情画舸，都不管、烟波隔南浦。等行人、醉拥重衾，载将离恨归去。　因念旧客京华，长偎傍疏林，小槛欢聚。冶叶倡条俱相识，仍惯见珠歌翠舞。如今向渔村水驿，夜如岁、焚香独自语。有何人、念我无聊，梦魂凝想鸳侣。

在这首词中，有两处搓挪对："偎傍疏林"对"小槛欢聚"；"冶叶倡条俱相识"对"仍惯见珠歌翠舞"。本来按照正常的对仗规律，"偎傍疏林"应该对"欢聚小槛"。但词人却用了"小槛欢聚"，这就是"搓挪"。"冶叶倡条俱相识"应该对"珠歌翠舞仍惯见"，词人却用了"仍惯见珠歌翠舞"。

由于这种对仗格式不够常见，所以大家对它有所了解就可以了。如果感兴趣，可以试着寻找一些搓挪对的例子。

延伸阅读

念奴娇·洞庭青草

（宋） 张孝祥

洞庭青草，近中秋、更无一点风色。玉鉴琼田三万顷，著我扁舟一叶。素月分辉，银河共影，表里俱澄澈。怡然心会，妙处难与君说。

丨——丨，丨——、丨—丨丨—丨。丨丨———丨丨，丨丨——丨丨。丨丨——，——丨丨，丨丨丨—丨。———丨，丨丨—丨—丨。

应念岭海经年，孤光自照，肝胆皆冰雪。短发萧骚襟袖冷，稳泛沧浪空阔。尽挹西江，细斟北斗，万象为宾客。扣舷独啸，不知今夕何夕。

—丨丨丨——，——丨丨。—丨——丨。丨丨———丨丨，丨丨—丨—丨。丨丨——，丨—丨丨，丨丨——丨。丨—丨丨，丨——丨—丨。

［注］表示土地面积的"顷"读 qǐng，所以是仄声字；"著"在这里读 zhuó，是入声字；"发"、"北"、"独"、"夕"都是入声字。

念奴娇·断虹霁雨

（宋） 黄庭坚

八月十七日，同诸生步自永安城楼，过张宽夫园待月。偶有名酒，因以金荷酌众客。客有孙彦立，善吹笛。援笔作乐府长短句，文不加点。

断虹霁雨，净秋空、山染修眉新绿。桂影扶疏，谁便道，今夕清辉不足？万里青天，姮娥何处，驾此一轮玉。寒光零乱，为谁偏照醽醁？

丨—丨丨，丨——、—丨———丨。丨丨——，—丨丨，—丨——丨丨。丨丨——，———丨，丨丨丨—丨。———丨，丨——丨—丨。

年少从我追游，晚凉幽径，绕张园森木。共倒金荷，家万里，难得尊前相属。老子一生，江南江北，最爱临风笛。孙郎微笑，坐来声喷霜竹。

—丨—丨——，丨——丨，丨———丨。丨丨——，—丨丨，—丨———丨。丨丨丨—，———丨，丨丨——丨。———丨，丨——丨—丨。

［注］“夕”、“足”、“得”、“北”、“笛”都是入声字；“醽”读líng，是平声字；“喷”有平仄两读。

思考讨论

请大家思考并总结：词的用韵、平仄与近体诗有什么不同？

附录　诗韵词韵

1. 平水韵（旧韵）

虽然陆法言的《切韵》对后世影响巨大，但它把韵部分为206个，过于细致，而且它记录的并不是一个时代一个地区的标准语音，而是掺杂了古音和方言读音，因此和当时人们口语中的实际语音情况并不相符。所以，对于诗人来说，它的韵部划分要求太严，作诗太难。后来，唐朝规定，相近的韵可以合并使用，叫做“同用”。

到了南宋时，山西平水人刘渊，在他的著作《壬子新刊礼部韵略》中把同用的韵合并，得到107韵；同时代的山西平水官员王文郁也有一本著作，叫《平水新刊韵略》，他把同用的韵合并为106韵。这就是后来广为流传的“平水韵”。

虽然“平水韵”在南宋末年才出现，但它反映了唐宋时代诗词中的实际语音状况，所以才能得到后世的普遍认可。由于近体诗只押平声韵，因此这里我们只看平声韵的韵目（每个韵部的第一个字）：

上平声15韵：

一东，二冬，三江，四支，五微，六鱼，七虞，八齐，九佳，十灰，十一真，十二文，十三元，十四寒，十五删。

下平声15韵：

一先，二萧，三肴，四豪，五歌，六麻，七阳，八庚，九青，十蒸，十一尤，十二侵，十三覃，十四盐，十五咸。

这里的上平声和下平声没有特别含义，只是编排上比较方便而已。

上面列举的“东”、“冬”等字，都只是它们所在韵部的代表字，用来区分韵母的种类。在我们今天的汉语普通话读音中，有些韵部之间，比如“东”与“冬”，它们的韵母是相同的，但在中古，它们的读音有差别。具体差别在哪里，大家暂时可以不必追究，只需要记住：它们在古代是有区别的，今天已经混同了。但古人在写诗作词的时候，是不可以把它们混用的。

由于刘渊的书已经佚失，且“平水韵”后来流传甚广，后世许多韵书使用的都是这一韵部系统。因此这里我们选用清代汤文璐的《诗韵合璧》①为蓝本，从中摘出了各部的韵字。因为近体诗一般押平声韵，所以下面我们只看“平水韵”中平声韵目下的常用字：

上　平

一　东

东同铜桐筒童僮瞳中衷忠虫终戎崇嵩弓躬宫融雄熊穹穷冯风枫丰充隆空公功工攻蒙笼聋珑洪红鸿虹丛翁聪通蓬烘潼胧砻峒螽梦讧冻忡酆恫总侗窿懵庞种盅芎倥艨绒葱匆骢

二　冬

冬农宗钟龙舂松（松树）冲容蓉庸封胸雍浓重从逢缝踪茸峰锋烽蛩慵恭供淙侬松（轻松）凶墉镛佣溶邛共憧喁邕壅纵龚枞脓淞匈汹禺蚣榕彤

三　江

江扛窗邦缸降双庞逄腔撞幢桩淙豇

四　支

支枝肢移为垂吹陂碑奇宜仪皮儿离施知驰池规危夷师姿迟龟

① 上海古籍出版社，1982 年 6 月版，根据广益书局 1922 年版影印。

眉悲之芝时诗棋旗辞词期祠基疑姬丝司葵医帷思滋持随痴维卮麾墀弥慈遗肌脂雌披嬉尸狸炊湄篱兹差疲茨卑亏蕤骑歧岐谁斯澌私窥熙欺疵赀羁彝髭颐资縻饥衰锥姨夔祗涯伊追缁箕箕治尼而推匙陲魑锤缡璃骊羸帔罴縻蘼脾芪畸牺羲曦欹漪猗崎崖萎筛狮蛳鸱绥虽粢瓷椎饴嫠痍惟唯机耆逵岿丕毗枇貔楣霉辎蚩嗤媸坻莳鲥鹚筲漓怡贻禧噫其琪祺麒嶷螭栀鹂累踟琵嵋

五　微

微薇晖徽挥韦围帏违霏菲妃绯飞非扉肥腓威畿机几讥矶稀希衣依沂巍归诽痱欷葳颀圻

六　鱼

鱼渔初书舒居裾车渠余予誉舆胥狙锄疏蔬梳虚嘘徐猪闾庐驴诸除储如墟与畬疽苴于茹蛆且沮祛蜍榈淤妤雎纾躇趄滁屠据匹咀衙涂虑

七　虞

虞愚娱隅刍无芜巫于盂衢儒濡襦须株诛蛛殊瑜榆谀愉腴区驱躯朱珠趋扶符凫雏敷夫肤纡输枢厨俱驹模谟蒲胡湖瑚乎壶狐弧孤辜姑觚菰徒途涂荼图屠奴呼吾梧吴租卢鲈苏酥乌枯都铺禺诬竽吁瞿劬需俞逾觎揄萸臾渝岖镂娄夫孚桴俘迂姝拘摹糊鸪沽呱蛄驽逋舻垆徂孥泸栌嚅蚨诹扶母毋芙喁颅轳句邾洙麸枹膜瓠恶芋呕驺喻枸侏龉葫懦帑拊

八　齐

齐蛴脐黎犁梨黧妻萋凄堤低氐诋题提荑缔折篦鸡稽兮奚嵇蹊倪霓西栖犀嘶撕梯鼙批挤迷泥溪圭闺睽奎携畦骊鹂儿

九　佳

佳街鞋牌柴钗差涯阶偕谐骸排乖怀淮豺侪埋霾斋娲蜗娃哇皆喈揩蛙楷槐俳

十　灰

灰恢魁隈回徊枚梅媒煤瑰雷催摧堆陪杯醅嵬推开哀埃台苔该

才材财裁来莱栽哉灾猜胎孩虺崔裴培坏垓陔徕皑傀崃诙煨桅唉颏能茴酶偎隗咳

十一　真

真因茵辛新薪晨辰臣人仁神亲申伸绅身宾滨邻鳞麟珍尘陈春津秦频蘋颦银垠筠巾民珉缗贫淳醇纯唇伦纶轮沦匀旬巡驯钧均臻榛姻寅彬鹑皴遵循振甄岷谆椿询恂峋莘堙屯呻粼磷辚濒闽豳逡填狺泯洵溱夤荀竣娠纫鄞抡畛嶙斌氤

十二　文

文闻纹云氛分纷芬焚坟群裙君军勤斤筋勋薰曛熏荤耘芸汾氲员欣芹殷昕贲郧雯蕲

十三　元

元原源园猿辕坦烦繁蕃樊翻萱喧冤言轩藩魂浑温孙门尊存蹲敦墩暾屯豚村盆奔论坤昏婚阍痕根恩吞沅媛援爰幡番反埙鸳宛掀昆琨鲲扪荪髡跟垠抡蕴犍袁怨蜿溷昆炖饨臀喷纯

十四　寒

寒韩翰丹殚单安难餐滩坛檀弹残干肝竿乾阑栏澜兰看刊丸桓纨端湍酸团抟攒官观冠鸾銮栾峦欢宽盘蟠漫汗郸叹摊奸剜棺钻瘢谩瞒潘胖弁拦完莞獾拌掸萑倌繁曼馒鳗谰洹滦

十五　删

删潸关弯湾还环鹌鬟寰班斑颁般蛮颜菅攀顽山鳏艰闲娴悭孱潺殷扳讪患

下　平

一　先

先前千阡笺天坚肩贤弦烟燕莲怜田填钿年颠巅牵妍研眠渊涓蠲编玄县泉迁仙鲜钱煎然延筵禅蝉缠连联涟篇偏便全宣镌穿川缘

鸢铅捐旋娟船涎鞭专圆员乾虔愆骞权拳椽传焉跹溅舷咽零骈阗鹃翩扁平沿诠痊悛荃遄卷挛戋佃滇婵颛犍搴嫣癣澶单竣鄢扇键蜷棉

二 萧

萧箫挑貂刁凋雕迢条跳苕调枭浇聊辽寥撩僚寮尧幺宵消霄绡销超朝潮嚣樵谯骄娇焦蕉椒饶烧遥姚摇谣瑶韶昭招飚标杓镳瓢苗描猫要腰邀乔桥侨妖夭漂飘翘祧佻徼侥哨娆陶橇劭潇骁獠料硝灶鹞钊蛲峤轿荞嘹逍燎憔剽

三 肴

肴巢交郊茅嘲钞包胶爻苞梢蛟庖匏坳敲胞抛鲛崤铙炮哮捎茭淆泡跑咬啁教咆鞘剿刨佼抓姣唠

四 豪

豪毫操髦刀萄猱桃糟漕旄袍挠蒿涛皋号陶翱敖遭篙羔高嘈搔毛艘滔骚韬缫膏牢醪逃槽劳洮叨绸饕骜熬臊涝淘尻挑嚣捞嗥薅咎谣

五 歌

歌多罗河戈阿和波科柯陀娥蛾鹅萝荷过磨螺禾哥娑驼佗沱峨那苛诃珂轲莎蓑梭婆摩魔讹坡颇俄哦呵皤么涡窝茄迦伽磋跎番蹉搓驮献蝌箩锅倭罗嵯锣

六 麻

麻花霞家茶华沙车牙蛇瓜斜邪芽嘉瑕纱鸦遮叉葩奢楂琶衙赊涯夸巴加耶嗟遐笳差蟆蛙虾拿葭茄挝呀枷哑娲爬杷蜗爷芭鲨珈骅娃哇洼畲丫夸裟瘕些桠杈痂哆爹椰咤笆桦划迦揶吾佘

七 阳

阳杨扬香乡光昌堂章张王房芳长塘妆常凉霜藏场央泱鸯秧嫱床方浆觞梁娘庄黄仓皇装殇襄骧相湘箱缃创忘芒望尝偿樯枪坊囊郎唐狂强肠康冈苍匡荒遑行妨棠翔良航倡伥羌庆姜僵缰疆粮穰将墙桑刚祥详洋徉佯粱量羊伤汤鲂樟彰漳璋猖商防筐煌隍凰蝗惶璜

廊浪裆沧纲亢吭潢钢丧盲篑忙茫傍汪臧琅当庠裳昂障糖疡锵杭邙赃滂禳攘瓤抢螳踉眶炀阊彭蒋亡殃蔷镶孀搪彷胱磅膀螃

八 庚

庚更羹盲横觥彭棚亨英瑛烹平评京惊荆明盟鸣荣莹兵卿生甥笙牲檠擎鲸迎行衡耕萌氓宏闳茎莺樱泓橙筝争清情晴精睛菁旌晶盈瀛嬴营婴缨贞成盛城诚呈程声征正轻名令并倾萦琼赓撑瞠枪伧峥猩珩蘅铿嵘丁嘤鹦铮砰绷轰訇瞪侦顷榜抨趟坪请

九 青

青经泾形刑邢型陉亭庭廷霆蜓停丁宁钉仃馨星腥醒惺娉灵棂龄铃苓伶零玲翎瓴囹聆听厅汀冥溟螟铭瓶屏萍荧萤荥扃町瞑暝

十 蒸

蒸承丞惩陵凌绫冰膺鹰应蝇绳渑乘升胜兴缯凭仍兢矜征凝称登灯僧增曾憎层能棱朋鹏弘肱腾滕藤恒冯瞢扔誊

十一 尤

尤邮优忧流留榴骝刘由油游猷悠攸牛修羞秋周州洲舟酬仇柔俦畴筹稠丘抽湫遒收鸠不愁休囚求裘球浮谋牟眸矛侯猴喉讴沤鸥瓯楼娄陬偷头投钩沟幽彪疣绸浏瘤犹啾酋售蹂揉搜叟邹貅泅球逑俅蜉桴罘欧搂抠髅蝼兜句妯惆呕缪繇偻篓馗区

十二 侵

侵寻浔林霖临针箴斟沈深淫心琴禽擒钦衾吟今襟金音阴岑簪琳琛椹谌忱壬任黔歆禁喑森参淋郴妊湛

十三 覃

覃潭谭参骖南男谙庵含涵函岚蚕探贪耽龛堪戡谈甘三酣篮柑惭蓝郯婪庵颔褴澹

十四 盐

盐檐廉帘嫌严占髯谦奁纤签瞻蟾炎添兼缣尖潜阎镰粘淹箝甜

恬拈暹詹渐歼黔沾苫占崦阉砭

十五　咸

咸缄谗衔岩帆衫杉监凡馋芟喃嵌掺搀严

2. 普通话韵表（新韵）

2010年，中华诗词学会整理出了《中华新韵（十四韵）简表》，以汉语普通话的实际语音划分韵部，以《新华字典》的注音为读音的依据，将汉语拼音的35个韵母，划分为14个韵部：麻、波、皆、开、微、豪、尤、寒、文、唐、庚、齐、支、姑。

其《简表》内容如下：

韵部	对应的汉语拼音韵母
麻	a，ia，ua
波	o，e，uo
皆	ie，üe
开	ai，uai
微	ei，ui
豪	ao，iao
尤	ou，iu
寒	an，ian，uan，üan
文	en，in，un，ün
唐	ang，iang，uang
庚	eng，ing，ong，iong
齐	i，er，ü
支	（-i）（零韵母）
姑	u

3. 声律启蒙

《声律启蒙》是清代人车万育（1632—1705）在康熙年间，为训练儿童应对、掌握声韵格律所作的一本启蒙读物。全书分为上下两卷，按照平水韵编排，一共30个韵目。它把古人吟诗作对时常用的对仗，包括天文、地理、花木、鸟兽、人物、器物等的虚实应对等零碎知识，编成了音韵协调、朗朗上口，容易记忆诵读的篇章。因此，对于我们学习吟诗作对很有帮助。此处我们所附的《声律启蒙》，文本内容节选自武汉大学国学院所编、湖北教育集团2011年8月版的《声律启蒙》。内容如下：

卷　上

一　东

yún duì yǔ xuě duì fēng wǎn zhào duì qíng kōng lái hóng duì qù yàn sù niǎo
云对雨，雪对风。晚照对晴空。来鸿对去燕，宿鸟
duì míng chóng sān chǐ jiàn liù jūn gōng lǐng běi duì jiāng dōng rén jiān qīng shǔ diàn
对鸣虫。三尺剑，六钧弓。岭北对江东。人间清暑殿，
tiān shàng guǎng hán gōng liǎng àn xiǎo yān yáng liǔ lǜ yì yuán chūn yǔ xìng huā hóng liǎng
天上广寒宫。两岸晓烟杨柳绿，一园春雨杏花红。两
bìn fēng shuāng tú cì zǎo xíng zhī kè yì suō yān yǔ xī biān wǎn diào zhī wēng
鬓风霜，途次早行之客；一蓑烟雨，溪边晚钓之翁。

pín duì fù sè duì tōng yě sǒu duì xī tóng bìn pó duì méi lǜ chǐ hào
贫对富，塞对通。野叟对溪童。鬓皤对眉绿，齿皓
duì chún hóng tiān hào hào rì róng róng pèi jiàn duì wān gōng bàn xī liú shuǐ lǜ
对唇红。天浩浩，日融融。佩剑对弯弓。半溪流水绿，
qiān shù luò huā hóng yě dù yàn chuān yáng liǔ yǔ fāng chí yú xì jì hé fēng nǚ
千树落花红。野渡燕穿杨柳雨，芳池鱼戏芰荷风。女
zǐ méi xiān é xià xiàn yì wān xīn yuè nán ér qì zhuàng xiōng zhōng tǔ wàn zhàng
子眉纤，额下现一弯新月；男儿气壮，胸中吐万丈
cháng hóng
长虹。

二 冬

春对夏，秋对冬。暮鼓对晨钟。观山对玩水，绿竹对苍松。冯妇虎，叶公龙。舞蝶对鸣蛩。衔泥双紫燕，课蜜几黄蜂。春日园中莺恰恰，秋天塞外雁雍雍。秦岭云横，迢递八千远路；巫山雨洗，嵯峨十二危峰。

三 江

铢对两，只对双，华岳对湘江。朝车对禁鼓，宿火对寒缸。青琐闼，碧纱窗，汉社对周邦。笙箫鸣细细，钟鼓响摐摐。主簿栖鸾名有览，治中展骥姓惟庞。苏武牧羊，雪屡餐于北海；庄周活鲋，水必决于西江。

四 支

茶对酒，赋对诗，燕子对莺儿。栽花对种竹，落絮对游丝。四目颉，一足夔，鸲鹆对鹭鸶。半池红菡萏，一架白荼蘼。几阵秋风能应候，一犁春雨甚知时。智伯恩深，国士吞变形之炭；羊公德大，邑人竖堕泪之碑。

戈对甲，鼓对旗，紫燕对黄鹂。梅酸对李苦，青眼对白眉。三弄笛，一围棋，雨打对风吹。海棠春睡早，杨柳昼眠迟。张骏曾为槐树赋，杜陵不作海棠诗。晋士特奇，可比一斑之豹；唐儒博识，堪为五总之龟。

五 微

来对往，密对稀，燕舞对莺飞。风清对月朗，露重对烟微。霜菊瘦，雨梅肥，客路对渔矶。晚霞舒锦绣，朝露缀珠玑。夏暑客思欹石枕，秋寒妇念寄边衣。春水才深，青草岸边渔父去；夕阳半落，绿莎原上牧童归。

宽对猛，是对非，服美对乘肥。珊瑚对玳瑁，锦绣对珠玑。桃灼灼，柳依依，绿暗对红稀。窗前莺并语，帘外燕双飞。汉致太平三尺剑，周臻大定一戎衣。吟成赏月之诗，只愁月堕；斟满送春之酒，惟憾春归。

六 鱼

无对有，实对虚，作赋对观书。绿窗对朱户，宝马对香车。伯乐马，浩然驴，弋雁对求鱼。分金齐鲍叔，奉璧蔺相如。掷地金声孙绰赋，回文锦字窦滔书。未遇殷宗，胥靡困傅岩之筑；既逢周后，太公舍渭水之渔。

终对始，疾对徐，短褐对华裾。六朝对三国，天禄对石渠。千字策，八行书，有若对相如。花残无戏蝶，藻密有潜鱼。落叶舞风高复下，小荷浮水卷还舒。爱见人长，共服宣尼休假盖；恐彰己吝，谁知阮裕竟焚车。

七 虞

金对玉，宝对珠，玉兔对金乌。孤舟对短棹，一雁对双凫。横醉眼，捻吟须，李白对杨朱。秋霜多过雁，夜月有啼乌。日暖园林花易赏，雪寒村舍酒难沽。人处岭南，善探巨象口中齿；客居江右，偶夺骊龙颔下珠。

八　齐

岩对岫，涧对溪，远岸对危堤。鹤长对凫短，水雁对山鸡。星拱北，月流西，汉露对汤霓。桃林牛已放，虞坂马长嘶。叔侄去官闻广受，弟兄让国有夷齐。三月春浓，芍药丛中蝴蝶舞；五更天晓，海棠枝上子规啼。

熊对虎，象对犀，霹雳对虹霓。杜鹃对孔雀，桂岭对梅溪。萧史凤，宋宗鸡，远近对高低。水寒鱼不跃，林茂鸟频栖。杨柳和烟彭泽县，桃花流水武陵溪。公子追欢，闲骤玉骢游绮陌；佳人倦绣，闷欹珊枕掩香闺。

九　佳

河对海，汉对淮，赤岸对朱崖。鹭飞对鱼跃，宝钿对金钗。鱼圉圉，鸟喈喈，草履对芒鞋。古贤尝笃厚，时辈喜诙谐。孟训文公谈性善，颜师孔子问心斋。缓抚琴弦，像流莺而并语；斜排筝柱，类过雁之相挨。

十 灰

增对损，闭对开，碧草对苍苔。书签对笔架，两曜对三台。周召虎，宋桓魋，阆苑对蓬莱。薰风生殿阁，皓月照楼台。却马汉文思罢献，吞蝗唐太冀移灾。照耀八荒，赫赫丽天秋日；震惊百里，轰轰出地春雷。

休对咎，福对灾，象箸对犀杯。宫花对御柳，峻阁对高台。花蓓蕾，草根荄，剔藓对剜苔。雨前庭蚁闹，霜后阵鸿哀。元亮南窗今日傲，孙弘东阁几时开。平展青茵，野外茸茸软草；高张翠幄，庭前郁郁凉槐。

十一 真

哀对乐，富对贫，好友对嘉宾。弹琴对结绶，白日对青春。金翡翠，玉麒麟，虎爪对龙鳞。柳塘生细浪，花径起香尘。闲爱登山穿谢屐，醉思漉酒脱陶巾。雪冷霜严，倚槛松筠同傲岁；日迟风暖，满园花柳各争春。

香对火，炭对薪，日观对天津。禅心对道眼，野妇对宫嫔。仁无敌，德有邻，万石对千钧。滔滔三峡水，冉冉一溪冰。充国功名当画阁，子张言行贵书绅。笃志诗书，思入圣贤绝域；忘情官爵，羞沾名利纤尘。

十二　文

尧对舜，夏对殷，蔡惠对刘蕡。山明对水秀，五典对三坟。唐李杜，晋机云，事父对忠君。雨晴鸠唤妇，霜冷雁呼群。酒量洪深周仆射，诗才俊逸鲍参军。鸟翼长随，凤兮洵众禽长；狐威不假，虎也真百兽尊。

十三　元

儿对女，子对孙，药圃对花村。高楼对邃阁，赤豹对玄猿。妃子骑，夫人轩，旷野对平原。匏巴能鼓瑟，伯氏善吹埙。馥馥早梅思驿使，萋萋芳草怨王孙。秋夕月明，苏子黄冈游赤壁；春朝花发，石家金谷启芳园。

歌对舞，德对恩，犬马对鸡豚。龙池对凤沼，雨骤对云屯。刘向阁，李膺门，唳鹤对啼猿。柳摇春白昼，梅弄月黄昏。岁冷松筠皆有节，春暄桃李本无言。噪晚齐蝉，岁岁秋来泣恨；啼宵蜀鸟，年年春去伤魂。

十四　寒

多对少，易对难，虎踞对龙蟠。龙舟对凤辇，白鹤对青鸾。风淅淅，露漙漙，绣毂对雕鞍。鱼游荷叶沼，鹭立蓼花滩。有酒阮貂奚用解，无鱼冯铗必须弹。丁固梦松，柯叶忽然生腹上；文郎画竹，枝梢倏尔长毫端。

héng duì shù zhǎi duì kuān hēi zhì duì dàn wán zhū lián duì huà dòng cǎi jiàn
横对竖，窄对宽，黑志对弹丸。朱帘对画栋，彩槛
duì diāo lán chūn jì lǎo yè jiāng lán bǎi pì duì qiān guān huái rén chēng zú zú
对雕栏。春既老，夜将阑，百辟对千官。怀仁称足足，
bào yì měi bān bān hào mǎ jūn wáng céng shì gǔ shí zhū chǔ shì jǐn sī gān shì
抱义美般般。好马君王曾市骨，食猪处士仅思肝。世
yǎng shuāng xiān yuán lǐ zhōu zhōng xié guō tài rén chēng lián bì xià hóu chē shàng bìng
仰双仙，元礼舟中携郭泰，人称连璧，夏侯车上并
pān ān
潘安。

十五 删

xīng duì fèi fù duì pān lù cǎo duì shuāng jiān gē lián duì jiè kòu xí kǒng
兴对废，附对攀，露草对霜菅，歌廉对借寇，习孔
duì xī yán shān lěi lěi shuǐ chán chán fèng bì duì tàn huán lǐ yóu gōng dàn zuò shī
对希颜。山垒垒，水潺潺，奉璧对探镮。礼由公旦作，诗
běn zhòng ní shān lǘ kùn kè fāng jīng bà shuǐ jī míng rén yǐ chū hán guān jǐ yè
本仲尼删。驴困客方经灞水，鸡鸣人已出函关。几夜
shuāng fēi yǐ yǒu cāng hóng cí běi sài shù zhāo wù àn qǐ wú xuán bào yǐn nán shān
霜飞，已有苍鸿辞北塞；数朝雾暗，岂无玄豹隐南山。

卷下

一 先

qíng duì yǔ dì duì tiān tiān dì duì shān chuān shān chuān duì cǎo mù chì bì
晴对雨，地对天，天地对山川。山川对草木，赤壁
duì qīng tián jiá rǔ dǐng wǔ chéng xián mù bǐ duì tái qián jīn chéng sān yuè liǔ
对青田。郏鄏鼎，武城弦，木笔对苔钱。金城三月柳，
yù jǐng jiǔ qiū lián hé chù chūn zhāo fēng jǐng hǎo shuí jiā qiū yè yuè huá yuán zhū
玉井九秋莲。何处春朝风景好，谁家秋夜月华圆。珠
zhuì huā shāo qiān diǎn qiáng wēi xiāng lù liàn héng shù miǎo jǐ sī yáng liǔ cán yān
缀花梢，千点蔷薇香露；练横树杪，几丝杨柳残烟。

qián duì hòu hòu duì xiān zhòng chǒu duì gū yán yīng huáng duì dié bǎn hǔ xué
前对后，后对先，众丑对孤妍。莺簧对蝶板，虎穴
duì lóng yuān jī shí qìng guān wéi biān shǔ mù duì yuān jiān chūn yuán huā liǔ dì qiū
对龙渊。击石磬，观韦编，鼠目对鸢肩。春园花柳地，秋
zhǎo jì hé tiān bái yǔ pín huī xián kè zuò wū shā bàn zhuì zuì wēng mián yě diàn jǐ
沼芰荷天。白羽频挥闲客坐，乌纱半坠醉翁眠。野店几

家，羊角风摇沽酒旆；长川一带，鸭头波泛卖鱼船。

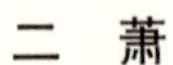

二 萧

恭对慢，吝对骄，水远对山遥。松轩对竹槛，雪赋对风谣。乘五马，贯双雕，烛灭对香消。明蟾常彻夜，骤雨不终朝。楼阁天凉风飒飒，关河地隔雨潇潇。几点鹭鸶，日暮常飞红蓼岸；一双鸂鶒，春朝频泛绿杨桥。

班对马，董对晁，夏昼对春宵。雷声对电影，麦穗对禾苗。八千路，廿四桥，总角对垂髫。露桃匀嫩脸，风柳舞纤腰。贾谊赋成伤鹏鸟，周公诗就托鸱鸮。幽寺寻僧，逸兴岂知俄尔尽；长亭送客，离魂不觉黯然消。

三 肴

风对雅，象对爻，巨蟒对长蛟。天文对地理，蟋蟀对螵蛸。龙夭矫，虎咆哮，北学对东胶。筑台须垒土，成屋必诛茅。潘岳不忘秋兴赋，边韶常被昼眠嘲。抚养群黎，已见国家隆治；滋生万物，方知天地泰交。

四 豪

琴对瑟，剑对刀，地迥对天高。峨冠对博带，紫绶对绯袍。煎异茗，酌香醪，虎兕对猿猱。武夫攻骑射，野妇务蚕缫。秋雨一川淇澳竹，春风两岸武陵桃。螺髻青浓，楼外晚山千仞；鸭头绿腻，溪中春水半篙。

五 歌

山对水，海对河，雪竹对烟萝。新欢对旧恨，痛饮对高歌。琴再抚，剑重磨，媚柳对枯荷。荷盘从雨洗，柳线任风搓。饮酒岂知欹醉帽，观棋不觉烂樵柯。山寺清幽，直踞千寻云岭；江楼宏敞，遥临万顷烟波。

繁对简，少对多，里咏对途歌。宦情对旅况，银鹿对铜驼。刺史鸭，将军鹅，玉律对金科。古堤垂亸柳，曲沼长新荷。命驾吕因思叔夜，引车蔺为避廉颇。千尺水帘，今古无人能手卷；一轮月镜，乾坤何匠用功磨。

六 麻

松对柏，缕对麻，蚁阵对蜂衙。赪鳞对白鹭，冻雀对昏鸦。白堕酒，碧沉茶，品笛对吹笳。秋凉梧堕叶，春暖杏开花。雨长苔痕侵壁砌，月移梅影上窗纱。飒飒秋风，度城头之筚篥；迟迟晚照，动江上之琵琶。

吴对楚，蜀对巴，落日对流霞。酒钱对诗债，柏叶对松花。驰驿骑，泛仙槎，碧玉对丹砂。设桥偏送笋，开道竟还瓜。楚国大夫沉汨水，洛阳才子谪长沙。书箧琴囊，乃士流活计；药炉茶鼎，实闲客生涯。

七阳

高对下，短对长，柳影对花香。词人对赋客，五帝对三王。深院落，小池塘，晚眺对晨妆。绛霄唐帝殿，绿野晋公堂。寒集谢庄衣上雪，秋添潘岳鬓边霜。人浴兰汤，事不忘于端午；客斟菊酒，兴常记于重阳。

尧对舜，禹对汤，晋宋对隋唐。奇花对异卉，夏日对秋霜。八叉手，九回肠，地久对天长。一堤杨柳绿，三径菊花黄。闻鼓塞兵方战斗，听钟宫女正梳妆。春饮方归，纱帽半淹邻舍酒；早朝初退，衮衣微惹御炉香。

荀对孟，老对庄，亸柳对垂杨。仙宫对梵宇，小阁对长廊。风月窟，水云乡，蟋蟀对螳螂。暖烟香霭霭，寒烛影煌煌。伍子欲酬渔父剑，韩生尝窃贾公香。三月韶光，常忆花明柳媚；一年好景，难忘橘绿橙黄。

八庚

深对浅，重对轻，有影对无声。蜂腰对蝶翅，宿醉对余酲。天北缺，日东生，独卧对同行。寒冰三尺厚，秋月十分明。万卷书容闲客览，一樽酒待故人倾。心侈唐玄，厌看霓裳之曲；意骄陈主，饱闻玉树之赓。

虚对实，送对迎，后甲对先庚。鼓琴对舍瑟，搏虎对骑鲸。金匼匝，玉瑽琤，玉宇对金茎。花间双粉蝶，柳内几黄莺。贫里每甘藜藿味，醉中厌听管弦声。肠断秋闺，凉吹已侵重被冷；梦惊晓枕，残蟾犹照半窗明。

渔对猎，钓对耕，玉振对金声。雉城对雁塞，柳袅对葵倾。吹玉笛，弄银笙，阮杖对桓筝。墨呼松处士，纸号楮先生。露浥好花潘岳县，风搓细柳亚夫营，抚动琴弦，遽觉座中风雨至；哦成诗句，应知窗外鬼神惊。

九　青

红对紫，白对青，渔火对禅灯。唐诗对汉史，释典对仙经。龟曳尾，鹤梳翎，月榭对风亭。一轮秋夜月，几点晓天星。晋士只知山简醉，楚人谁识屈原醒。绣倦佳人，慵把鸳鸯文作枕；吮毫画者，思将孔雀写为屏。

行对坐，醉对醒，佩紫对纡青。棋枰对笔架，雨雪对雷霆。狂蛱蝶，小蜻蜓，水岸对沙汀。天台孙绰赋，剑阁孟阳铭。传信子卿千里雁，照书车胤一囊萤。冉冉白云，夜半高遮千里月；澄澄碧水，宵中寒映一天星。

十　蒸

新对旧，降对升，白犬对苍鹰。葛巾对藜杖，涧水对池冰。张兔网，挂鱼罾，燕雀对鹍鹏。炉中煎药火，窗下读书灯。织锦逐梭成舞凤，画屏误笔作飞蝇。

宴客刘公，座上满斟三雅爵；迎仙汉帝，宫中高插九光灯。

十一　尤

荣对辱，喜对忧，夜宴对春游。燕关对楚水，蜀犬对吴牛。茶敌睡，酒消愁，青眼对白头。马迁修《史记》，孔子作《春秋》。适兴子猷常泛棹，思归王粲强登楼。窗下佳人，妆罢重将金插鬓；筵前舞妓，曲终还要锦缠头。

唇对齿，角对头，策马对骑牛。毫尖对笔底，绮阁对雕楼。杨柳岸，荻芦洲，语燕对啼鸠。客乘金络马，人泛木兰舟。绿野耕夫春举耜，碧池渔父晚垂钩。波浪千层，喜见蛟龙得水；云霄万里，惊看雕鹗横秋。

十二　侵

眉对目，口对心，锦瑟对瑶琴。晓耕对寒钓，晚笛对秋砧。松郁郁，竹森森，闵损对曾参。秦王亲击缶，虞帝自挥琴。三献卞和尝泣玉，四知杨震固辞金。寂寂秋朝，庭叶因霜摧嫩色；沉沉春夜，砌花随月转清阴。

前对后，古对今，野兽对山禽。犍牛对牝马，水浅对山深。曾点瑟，戴逵琴，璞玉对浑金。艳红花弄色，浓绿柳敷阴。不雨汤王方剪爪，有风楚子正披襟。书生惜壮岁韶华，寸阴尺璧，游子爱良宵光景，一刻千金。

十三　覃

千对百，两对三，地北对天南。佛堂对仙洞，道院对禅庵。山泼黛，水浮蓝，雪岭对云潭。凤飞方翙翙，虎视已眈眈。窗下书生时讽咏，筵前酒客日耽酣。白草满郊，秋日牧征人之马；绿桑盈亩，春时供农妇之蚕。

十四　盐

如对似，减对添，绣幕对珠帘。探珠对献玉，鹭立对鱼潜。玉屑饭，水晶盐，手剑对腰镰。燕巢依邃阁，蛛网挂虚檐。夺槊至三唐敬德，弈棋第一晋王恬。南浦客归，湛湛春波千顷净；西楼人悄，弯弯夜月一钩纤。

十五　咸

能对否，圣对贤，卫瓘对浑瑊。雀罗对鱼网，翠巘对苍崖。红罗帐，白布衫，笔格对书函。蕊香蜂竞采，泥软燕争衔。凶孽誓清闻祖逖，王家能义有巫咸。溪叟新居，渔舍清幽临水岸；山僧久隐，梵宫寂寞倚云岩。

4. 笠翁对韵

《笠翁对韵》的作者是清代著名戏曲家、小说家李渔（1611—1680），“笠翁”是他的“号”。这本书仿照《声律启蒙》而作，因此全书的主旨、体例、内容都与《声律启蒙》相似。全书也根据平声韵目分为上下两卷，但它一共只有15个韵目，这一点与《声律启蒙》不同。我们此处所附的《笠翁对韵》，文本内容节选自武汉大学国学院所编、湖北教育集团2011年8月版的《笠翁对韵》。内容如下：

卷 上

一 东

天对地，雨对风。大陆对长空。山花对海树，赤日对苍穹。雷隐隐，雾蒙蒙。日下对天中。风高秋月白，雨霁晚霞红。牛女二星河左右，参商两曜斗西东。十月塞边，飒飒寒霜惊戍旅；三冬江上，漫漫朔雪冷渔翁。

河对汉，绿对红。雨伯对雷公。烟楼对雪洞，月殿对天宫。云叆叇，日曈昽。蜡屐对渔篷。过天星似箭，吐魄月如弓。驿旅客逢梅子雨，池亭人挹藕花风。茅店村前，皓月坠林鸡唱韵；板桥路上，青霜锁道马行踪。

山对海，华对嵩。四岳对三公。宫花对禁柳，塞雁对江龙。清暑殿，广寒宫。拾翠对题红。庄周梦化蝶，吕望兆飞熊。北牖当风停夏扇，南檐曝日省冬烘。鹤舞楼头，玉笛弄残仙子月；凤翔台上，紫箫吹断美人风。

三 江

奇对偶，只对双。大海对长江。金盘对玉盏，宝烛对银釭。朱漆槛，碧纱窗。舞调对歌腔。兴汉推马武，谏夏著龙逄。四收列国群王伏，三筑高城众敌降。跨凤登台，潇洒仙姬秦弄玉；斩蛇当道，英雄天子汉刘邦。

颜对貌，像对庞。步辇对徒杠。停针对搁笔，意懒对心降。灯闪闪，月幢幢。揽辔对飞艎。柳堤驰骏马，花院吠村尨。酒量微酡琼杏颊，香尘浅印玉莲𨇁。诗写丹枫，韩女幽怀流御水；泪弹斑竹，舜妃遗憾积湘江。

四 支

泉对石，干对枝。吹竹对弹丝。山亭对水榭，鹦鹉对鸬鹚。五色笔，十香词。泼墨对传卮。神奇韩干画，雄浑李陵诗。几处花街新夺锦，有人香径淡凝脂。万里烽烟，战士边头争保塞；一犁膏雨，农夫村外尽乘时。

菹对醢，赋对诗。点漆对描脂。瑶簪对珠履，剑客对琴师。沽酒价，买山赀。国色对仙姿。晚霞明似锦，

春雨细如丝。柳绊长堤千万树，花横野寺两三枝。紫盖黄旗，天象预占江左地；青袍白马，童谣终应寿阳儿。

箴对赞，缶对卮。萤焰对蚕丝。轻裾对长袖，瑞草对灵芝。流涕策，断肠诗。喉舌对腰肢。云中熊虎将，天上凤凰儿。禹庙千年垂橘柚，尧阶三尺覆茅茨。湘竹含烟，腰下轻纱笼玳瑁；海棠经雨，脸边清泪湿胭脂。

争对让，望对思。野葛对山栀。仙风对道骨，天造对人为。专诸剑，博浪椎。经纬对干支。位尊民物主，德重帝王师。望切不妨人去远，心忙无奈马行迟。金屋闭来，赋乞茂陵题柱笔；玉楼成后，记须昌谷负囊词。

五 微

贤对圣，是对非。觉奥对参微。鱼书对雁字，草舍对柴扉。鸡晓唱，雉朝飞。红瘦对绿肥。举杯邀月饮，骑马踏花归。黄盖能成赤壁捷，陈平善解白登危。太白书堂，瀑泉垂地三千丈；孔明祠庙，老柏参天四十围。

戈对甲，幄对帏。荡荡对巍巍。严滩对邵圃，靖菊对夷薇。占鸿渐，采凤飞。虎榜对鸾旗。心中罗锦绣，口内吐珠玑。宽宏豁达高皇量，叱咤喑哑霸王威。灭项兴刘，狡兔尽时走狗死；连吴拒魏，貔貅屯处卧龙归。

衰对盛，密对稀。祭服对朝衣。鸡窗对雁塔，秋榜对春闱。乌衣巷，燕子矶。久别对初归。天姿真窈窕，圣德实光辉。蟠桃紫阙来金母，岭荔红尘进玉妃。霸王军营，亚父愤心撞玉斗；长安酒市，谪仙狂兴典银龟。

六 鱼

羹对饭，柳对榆。短袖对长裾。鸡冠对凤尾，芍药对芙蕖。周有若，汉相如。王屋对匡庐。月明山寺远，风细水亭虚。壮士腰间三尺剑，男儿腹内五车书。疏影暗香，和靖孤山梅蕊放；轻阴清昼，渊明旧宅柳条舒。

吾对汝，尔对余。选授对升除。书橱对药柜，耒耜对耰锄。参虽鲁，回不愚。阀阅对阎闾。诸侯千乘国，命妇七香车。穿云采药闻仙犬，踏雪寻梅策蹇驴。玉兔金乌，二气精灵为日月；洛龟河马，五行生克在《图》《书》。

欹对正，密对疏。囊橐对苞苴。罗浮对壶峤，水曲对山纡。骖鹤驾，待鸾舆。桀溺对长沮。搏虎卞庄子，当熊冯婕妤。南阳高士吟梁父，西蜀才人赋子虚。三径风光，白石黄花供杖履；五湖烟景，青山绿水在樵渔。

八　齐

鸾对凤，犬对鸡。塞北对关西。长生对益智，老幼对旄倪。颁竹策，剪桐圭。剥枣对蒸梨。线腰如弱柳，嫩手似柔荑。狡兔能穿三穴隐，鹪鹩权借一枝栖。甪里先生，策杖垂绅扶少主；於陵仲子，辟纑织履赖贤妻。

鸣对吠，泛对栖。燕语对莺啼。珊瑚对玛瑙，琥珀对玻璃。绛县老，伯州犁。测蠡对燃犀。榆槐堪作荫，桃李自成蹊。投巫救女西门豹，赁浣逢妻百里奚。阙里门墙，陋巷规模原不陋；隋堤基址，迷楼踪迹已全迷。

燕对赵，楚对齐。柳岸对桃蹊。纱窗对绣户，画阁对香闺。修月斧，上天梯。螮蝀对虹霓。行乐游春圃，工谀病夏畦。李广不封空射虎，魏明得立为存麑。按辔徐行，细柳功成劳主敬；闻声悄卧，临泾名震止儿啼。

九　佳

门对户，陌对街。枝叶对根荄。斗鸡对挥麈，凤髻对鸾钗。登楚岫，渡秦淮。子犯对夫差。石鼎龙头缩，银筝雁翅排。百年《诗》《礼》延余庆，万里风云入壮怀。莫辨明伦，死矣野哉悲季路；不由径窦，生乎愚也有高柴。

冠对履，袜对鞋。海角对天涯。鸡人对虎旅，六市对三街。陈俎豆，戏堆埋。皎皎对皑皑。贤相聚东阁，良朋集小斋。梦里山川书《越绝》，枕边风月记《齐谐》。三径萧疏，彭泽高风怡五柳；六朝华贵，琅琊佳气毓三槐。

勤对俭，巧对乖。水榭对山斋。冰桃对雪藕，漏箭对更牌。寒翠袖，贵荆钗。慷慨对诙谐。竹径风声籁，花蹊月影筛。携囊佳韵随时贮，荷锄沉酣到处埋。江海孤踪，雪浪风涛惊旅梦；乡关万里，烟峦云树切归怀。

杞对梓，桧对楷。水泊对山崖。舞裙对歌袖，玉陛对瑶阶。风入袂，月盈怀。虎兕对狼豺。马融堂上帐，羊侃水中斋。北面黉宫宜释菜，东巡岱畤定燔柴。锦缆春江，横笛洞箫通碧落；华灯夜月，遗簪堕翠遍香街。

十灰

春对夏，喜对哀。大手对长才。风清对月朗，地辟对天开。游阆苑，醉蓬莱。七政对三台。青龙壶老杖，白燕玉人钗。香风十里望仙阁，明月一天思子台。玉橘冰桃，王母几因求道降；连舟藜杖，真人原为读书来。

朝对暮，去对来。庶矣对康哉。马肝对鸡肋，杏眼对桃腮。佳兴适，好怀开。朔雪对春雷。云移鳷鹊观，日晒凤凰台。河边淑气迎芳草，林下轻风待落梅。柳媚花明，燕语莺声浑是笑；松号柏舞，猿啼鹤唳总成哀。

忠对信，博对赅。忖度对疑猜。香消对烛暗，鹊喜对蛩哀。金花报，玉镜台。倒斝对衔杯。岩巅横老树，石磴覆苍苔。雪满山中高士卧，月明林下美人来。绿柳沿堤，皆因苏子来时种；碧桃满观，尽是刘郎去后栽。

卷下

二萧

琴对笛，釜对瓢。水怪对花妖。秋声对春色，白缣对红绡。臣五代，事三朝。斗柄对弓腰。醉客歌金缕，佳人品玉箫。风定落花闲不扫，霜余残叶湿难烧。千载兴周，尚父一竿投渭水；百年霸越，钱王万弩射江潮。

荣对悴，夕对朝。露地对云霄。商彝对周鼎，殷濩对虞韶。樊素口，小蛮腰。六诏对三苗。朝天车奕奕，出塞马萧萧。公子幽兰重泛舸，王孙芳草正联镳。潘岳高怀，曾向秋天吟蟋蟀；王维清兴，尝于雪夜画芭蕉。

耕对读，牧对樵。琥珀对琼瑶。兔毫对鸿爪，桂楫对兰桡。鱼贯柳，鹿藏蕉。水远对山遥。湘灵能鼓瑟，嬴女解吹箫。雪点寒梅横小院，风飘弱柳覆平桥。月牖通宵，绛蜡罢时光不减；风帘当昼，雕盘停后篆难消。

三 肴

《诗》对《礼》，卦对爻。燕引对莺调。晨钟对暮鼓，野馔对山肴。雉方乳，鹊始巢。猛虎对神獒。疏星浮荇叶，皓月上松梢。为邦自古推瑚琏，从政于今愧斗筲。管鲍相知，能结忘形胶漆友；蔺廉有隙，终为刎颈死生交。

歌对舞，笑对嘲。耳语对神交。焉乌对亥豕，獭髓对鸾胶。宜久敬，莫轻抛。一气对同胞。祭遵甘布被，张禄念绨袍。花径风来逢客访，柴扉月到有僧敲。夜雨园中，一颗不凋王子柰；秋风江上，三重曾卷杜公茅。

衙对舍，廪对庖。玉磬对金铙。竹林对梅岭，起凤对腾蛟。鲛绡帐，兽锦袍。露叶对风梢。扬州输橘柚，荆土贡菁茅。断蛇埋地称孙叔，渡蚁编桥识宋郊。好梦难成，蛩响阶前偏唧唧；良朋远至，鸡声窗外正嘐嘐。

五 歌

微对巨，少对多。直干对平柯。蜂媒对蝶使，雨笠对烟蓑。眉淡扫，面微酡。妙舞对清歌。轻衫裁夏葛，薄袂剪春罗。将相兼行唐李靖，霸王杂用汉萧何。月本阴精，岂有羿妻曾窃药；星为夜宿，虚传织女漫投梭。

慈对善，虐对苛。缥缈对婆娑。长杨对细柳，嫩蕊对寒莎。追风马，挽日戈。玉液对金波。紫诏衔丹凤，《黄庭》换白鹅。画角江城梅作引，兰舟野渡竹为歌。门外雪飞，错认空中飘柳絮；岩边瀑响，误疑天半落银河。

笼对槛，巢对窝。及第对登科。冰清对玉润，地利对人和。韩擒虎，荣驾鹅。青女对素娥。破头朱泚笏，折齿谢鲲梭。留客酒杯应恨少，动人诗句不须多。绿野凝烟，但听村前双牧笛；沧江积雪，惟看滩上一渔蓑。

六　麻

清对浊，美对嘉。鄙吝对矜夸。花须对柳眼，屋角对檐牙。志和宅，博望槎。秋实对春华。乾炉烹白雪，坤鼎炼丹砂。深宵望冷沙场月，绝塞听残野戍笳。满院松风，钟声隐隐为僧舍；半窗花月，鹤影依依是道家。

雷对电，雾对霞。蚁阙对蜂衙。寄梅对怀橘，酿酒对烹茶。宜男草，益母花。杨柳对蒹葭。班姬辞帝辇，蔡琰泣胡笳。舞榭歌楼千万户，竹篱茅舍两三家。珊枕半床，月明时梦飞塞外；银筝一曲，花落处人在天涯。

圆对缺，正对斜。笑语对咨嗟。沈腰对潘鬓，孟笋对卢茶。百舌鸟，两头蛇。帝里对仙家。尧仁敷率土，舜德被流沙。桥上授书曾纳履，壁间题句已笼纱。远塞迢迢，露碛风沙何可极；长沙渺渺，云涛烟浪信无涯。

疏对密，朴对华。义鹘对慈鸦。鹅群对雁阵，白苎对黄麻。读三到，吟八叉。肃静对喧哗。围棋兼把钓，沉李并浮瓜。羽客片时能煮石，狐禅千劫似蒸沙。党尉粗豪，金帐笼香斟美酒；陶生清逸，银铛融雪啜团茶。

七　阳

台对阁，沼对塘。朝雨对夕阳。游人对隐士，谢女对秋娘。三寸舌，九回肠。玉液对琼浆。秦皇照胆镜，徐肇返魂香。青萍夜啸芙蓉匣，黄卷时摊薜荔床。元亨利贞，天地一机成化育；仁义礼智，圣贤千古立纲常。

红对白，绿对黄。昼永对更长。龙飞对凤舞，锦缆对牙樯。云弁使，雪衣娘。故国对他乡。雄文能徙鳄，艳曲为求凰。九日高峰惊落帽，暮春曲水喜流觞。僧占名山，云绕双林藏古殿；客栖胜地，风飘万叶响空廊。

臣对子，帝对王。日月对风霜。乌台对紫府，蔀屋对岩廊。香山社，昼锦堂。雪牖对云房。芬椒涂内壁，文杏饰高梁。贫女幸分东壁影，幽人高卧北窗凉。绣阁探春，丽日半笼青镜色；水亭醉夏，薰风常透碧筒香。

十二 侵

歌对曲，啸对吟。往古对来今。山头对水面，远浦对遥岑。勤三上，惜寸阴。茂树对平林。卞和三献玉，杨震四知金。青皇风暖催芳草，白帝城高急暮砧。绣虎雕龙，才子窗前挥彩笔；描鸾刺凤，佳人帘下度金针。

登对眺，涉对临。瑞雪对甘霖。主欢对民乐，交浅对言深。耻三战，乐七擒。顾曲对知音。大车行槛槛，驷马骤骎骎。紫电青虹腾剑气，高山流水识琴心。屈子怀君，极浦吟风悲泽畔；王郎忆友，扁舟卧雪访山阴。

十四 盐

宽对猛，冷对炎。清直对尊严。云头对雨脚，鹤发对龙髯。风台谏，肃堂廉。保泰对鸣谦。五湖归范蠡，三径隐陶潜。一剑成功堪佩印，百钱满卦便垂帘。浊酒停杯，容我半酣愁际饮；好花傍座，看他微笑悟时拈。

连对断，减对添。淡泊对安恬。回头对极目，水底对山尖。腰袅袅，手纤纤。凤卜对鸾占。开田多种粟，

zhǔ hǎi jìn chéng yán jū tóng jiǔ shì zhāng gōng yì ēn jǐ qiān rén fàn zhòng yān
煮海尽成盐。居同九世张公艺，恩给千人范仲淹。
xiāo nòng fèng lái qín nǚ yǒu yuán néng kuà yǔ dǐng chéng lóng qù xuān chén wú jì dé
箫弄凤来，秦女有缘能跨羽；鼎成龙去，轩臣无计得
pān rán
攀髯。

rén duì jǐ ài duì xián jǔ zhǐ duì guān zhān sì zhī duì sān yǔ yì zhèng
人对己，爱对嫌。举止对观瞻。四知对三语，义正
duì cí yán qín xuě àn kè fēng yán lòu jiàn duì shū jiān wén fán guī tǎ jì tǐ
对辞严。勤雪案，课风檐。漏箭对书笺。文繁归獭祭，体
yàn bié xiāng lián zuó yè tí méi gēng yī zì zǎo chūn lái yàn juǎn chóng lián shī yǐ
艳别香奁。昨夜题梅更一字，早春来燕卷重帘。诗以
shǐ míng chóu lǐ bēi gē huái dù fǔ bǐ jīng rén suǒ mèng zhōng xiǎn huì lǎo jiāng yān
史名，愁里悲歌怀杜甫；笔经人索，梦中显晦老江淹。

后 记

有一次，偶然看到某市小学一年级的语文课本中有贺知章的《回乡偶书》一诗："少小离家老大回，乡音无改鬓毛衰。儿童相见不相识，笑问客从何处来。""衰"字加了注音 shuāi。

衰，在此处应该读 cuī，在古义中有"等级次第的差别或依次递减"的意思，如《左传·桓公二年》："故天子建国，诸侯立家，卿置侧室，大夫有贰宗，士有隶子弟，庶人工商各有分亲，皆有等衰。"引申为减少、稀疏。结合贺知章的《回乡偶书》，这里"衰"的意思当指鬓毛减少、疏落，而不是衰老的意思。再从整首绝句的韵脚来看，"衰"字与首句"少小离家老大回"中的"回"和末句"笑问客从何处来"中的"来"，这三字在"诗韵"即"平水韵"中同属灰韵。

这些属于古代文化常识性的内容，过去龆龀蒙童均能脱口成韵，如今在专业教育出版社的小学语文教材中出现这样的差错，管窥一斑，不由得让人担忧。

读错一个字音尚是小事，倘若几代人不读"四书"、"五经"、唐诗、宋词……那中华民族真的就没有了灵魂。民族没有了精神内核，没有了灵魂，如何奢谈中华民族的伟大复兴？

我们承认现代教育将中国教育的视野引向更为广阔的国际空间，带来了许多新理念，给中国教育带来了活力。但是，如何在引入国际现代教育理念和现代教育方式的同时，坚守中国具有传承价值的优秀传统文化？如何在全面实施素质教育的同时，弘扬

中国文化特色以保持中国文化特有的气质？这是当前中国教育值得深入研究的问题之一。

梁启超先生曾言："吾不患外国学术思想之不输入，吾惟患本国学术之不发明。"然而，本国学术思想之发明非一代人可以成就，须"由其民族自身传递数世、数十世血液浇灌、精肉所培壅，而始得开此民族文化之花，结此民族文化之果"。要国民热爱中国的传统文化，必须本国先民的成就有其可爱之处，而且要发扬国民精神，也当从固有的精神中有所抉发。

秋霞圃书院自2010年开始筹划编撰一套适合大众普及尤其是中小学生使用的"国学基本教材"，自小学至高中每学期能有一册在手，通过以长期渐进、系统地熏陶、滋养，使中小学生在潜移默化中亲近中国的历史与文化，并使中华传统文化在当下的社会生活中"活化"。当然这种"活化"不是简单的复古，而是在当代的语境中重新梳理中华文明的脉络，从中汲取适应时代需要、社会需要，乃至适应工业文明与后工业文明需要的养料，提炼出中华传统文化的核心价值，以此来滋养一代又一代学子，为中华民族的伟大复兴、践行"中国梦"奠定基础。当然，这些愿景断非一己之力能及，而是需要几代人的不懈努力，我们所起的作用仅仅是抛砖而已。国内儒学研究领军学者之一、武汉大学国学院院长郭齐勇教授听闻我们有此愿望后鼎力支持，欣然担任本套教材的总顾问，协调资源，并为之作序；武汉大学国学院院长助理孙劲松先生、向珂博士在筹组编者队伍时提供了真诚无私的帮助。此后又蒙秋霞圃书院院长、历史学家沈渭滨，语言学家李佐丰，古典文献学者骆玉明、汪涌豪、傅杰、徐志啸等教授在谋篇布局上的悉心指点，形成了本套"国学基本教材"的框架。确定框架之后，我们邀请了武汉大学、复旦大学、华东师范大学、南开大学、中国传媒大学、中山大学、内蒙古师范大学、陕西师范大学、南通大学等高校人文学科中青年学人和江浙沪地区几位优秀的中小学语文教师参与编写。

全书成稿后，沈渭滨、王家范、骆玉明、傅杰、汪涌豪、杨国强、张觉、张新科、徐志啸、鲍鹏山等教授审读了书稿，并提出了宝贵的修改意见；86 岁高龄的书法名家章汝奭先生为“国学基本教材”题写书名；《儒藏》总编撰、德高望重的北京大学教授汤一介先生为我们赠书“圣贤之道”；丰子恺先生后人为我们提供了精美而颇有意蕴的 24 幅漫画用作丛书封面；朱青生教授为我们提供了汉画文献用于插图；画家李永源先生逾古稀之年，为这套丛书手绘了上百幅插画；浙江古籍出版社社长杨林海先生是我故交乡党，听闻我有意筹划一套面向中小学生的“国学基本教材”丛书之后，青睐有加，多方努力协调资源，亲自落实该套教材出版的相关事宜……所有殊胜因缘，都在襄助秋霞圃书院矢志传播中华传统文化的大愿，唯有在此深揖致谢。

由于主持者与编者的学识有限，尽管悉心编校，但不足之处难免，敬请方家、读者指正，以便来年修订时，相应校正。

差错和建议可致电:021-66366439，13816808263。通信地址:上海市嘉定区南大街嘉定孔庙秋霞圃书院，邮政编码：201800，电子邮件 :qiuxiapu@163.com。

李耐儒

癸巳春于嘉定孔庙

图书在版编目（CIP）数据

诗词格律 / 李凯编注. — 杭州：浙江古籍出版社，2013.6

国学基本教材

ISBN 978-7-5540-0066-3

Ⅰ. ①诗… Ⅱ. ①李… Ⅲ. ①诗词格律—基本知识—中国 Ⅳ. ① I207.21

中国版本图书馆 CIP 数据核字（2013）第 128552 号

诗词格律

李 凯 编注

出版发行 浙江古籍出版社

（杭州体育场路 347 号 电话：0571-85176986）

网　　址 www.zjguji.com

责任编辑 陈临士 伍姬颖

特约编辑 黄杨子

责任校对 余 宏

美术编辑 刘 欣

责任印务 贾 敏

照　　排 杭州立飞图文制作有限公司

印　　刷 富阳市育才印刷有限公司

开　　本 880 × 1230 1/32

印　　张 5.75

字　　数 130 千字

版　　次 2013 年 6 月第 1 版

印　　次 2013 年 6 月第 1 次印刷

书　　号 ISBN 978-7-5540-0066-3

定　　价 11.00 元